De Catharijnesingel

DE CATHARIJNESINGEL

Worsteling tussen leefbaarheid en bereikbaarheid

REDACTIE:
JOANKA PRAKKEN EN LOES VERPLANKE

N I Z W

Productie en samenstelling NIZW

Redactie Joanka Prakken, Loes Verplanke

Research Wiebe Blauw

Ontwerp omslag en vormgeving Zeno

Foto's / illustraties Wim Oskam, Het Utrechts Archief

Drukwerk Giethoorn Ten Brink

ISBN 90-5050-703-4

NIZW-bestelnummer E 62582

Deze publicatie is te bestellen bij
NIZW Uitgeverij
Postbus 19152
3501 DD Utrecht
Telefoon (030) 230 66 07
Fax (030) 230 64 91
E-mail Bestel@nizw.nl

INHOUD

WOORD VOORAF

Het is alweer tien jaar geleden dat het Nederlands Instituut voor Zorg en Welzijn / NIZW is opgericht en zich vestigde aan de Catharijnesingel in Utrecht. Ter gelegenheid van dit tweede lustrum is een boekje samengesteld over de Catharijnesingel. Een bekende, typisch Utrechtse plek waar de diversiteit van het leven in de stad terug te vinden is: bedrijven, de daklozen rondom Hoog Catharijne, bouwactiviteiten voor nieuwe bedrijven, appartementen en grote statige singelpanden, waarin ook studenten gehuisvest zijn, en last but not least vele woningen waar inwoners van onze stad hun hele leven al wonen. Een groter contrast in het gebruik van panden, bedrijfspanden, woonpanden en straks het pand waar recht gesproken wordt is nauwelijks denkbaar. En iedereen heeft een eigen verhaal.

Ook over de Catharijnesingel zelf valt veel te vertellen: vroeger de belangrijkste weg naar het Stads- en Academisch Ziekenhuis, later het Academisch Ziekenhuis Utrecht genaamd. Het hoofdkantoor van de Nederlandse Spoorwegen is er gevestigd. Ooit werd een gedeelte van de singel gedempt; nu bestaan er plannen om het water weer terug in de singel te krijgen.

Voor een instelling als het Nederlands Instituut voor Zorg en Welzijn een buitengewoon interessante plek om te werken: de thema's voor zorg en welzijn liggen er letterlijk op straat. Het initiatief om dit in woord en beeld te bundelen juich ik dan ook van harte toe. Het is een aanwinst in de rij van beschrijvingen van straten en lanen in onze stad.

Ik feliciteer het NIZW van harte met dit jubileum en wens de lezer vele boeiende leesuurtjes toe.

Mr. I.W. Opstelten,
Burgemeester van Utrecht

VOORUITBLIK

Radio Catharijne interviewt
stedenbouwkundig visionair Fados Eusebios

'Een welgemeend goedemorgen dames en heren vanuit Radio Catharijne in Utrecht. Vandaag is de visionaire stedenbouwkundige Fados Eusebios in ons midden. Señor Eusebios heeft vorige week zijn *quick scan* van de singel afgerond en met zijn onverwachte plannen iedereen ongelukkig gemaakt. In het bijzonder de bewonersvereniging Catharijnesingel die hem had ingehuurd. Alleen de drugsgebruikers, alcoholisten, bedelaars en Utrecht-*hooligans* staan achter Fados.

Señor Eusebios, is het waar dat u ook de rest van de singel wilt dempen en daar een* theme city *park zoals* showbiz city *(Joop van den Ende) of Disney World wilt realiseren?'
'U licht nu slechts één facet uit het geheel van mijn plannen. Als alles in zijn samenhang begrepen zou worden, zie ik alleen maar medestanders. Ik heb me verdiept in de geschiedenis van uw stad. Utrecht is sinds het jaar 650 het gezagscentrum van de katholieke kerk. Hier heeft in 1253 de ridderlijke orde van Sint Jan van Jeruzalem het Catharijnegasthuis en -klooster gebouwd. Hier leefden de stoere Johannieter ridders, hier keerden de pelgrims moe maar voldaan

terug van hun reizen uit het Beloofde Land. Floris de Vijfde gebruikte hier in 1296 zijn galgenmaal voordat hij na vertrek uit Amsterdam werd overvallen, ontvoerd en vermoord. Welke Utrechter weet dat hier vlakbij het Elledindighe Kerckhoff lag, waar in ongewijde aarde zelfmoordenaars en terechtgestelden begraven werden? Sindsdien spookt het daar. En uit betrouwbare bron heb ik vernomen dat de spoken zich nog steeds niet van de Catharijnesingel hebben laten verdrijven.'

'Maar mijnheer Eusebios, onze Catharijnesingel wordt een pretpark. Hoe valt dat te rijmen met uw verzet tegen de musealisering van de oude binnensteden?'
'Ik wil een eigentijdse urbane atmosfeer: drukte, mobiliteit, snelheid, vermaak, vluchtige ontmoetingen, 's levens felheid. Riddertoernooien, met ratels klepperende leprozen, openbare terechtstellingen, processies op bloedende blote voeten, schrijnende armoede, pralend machtsvertoon van de clerus, bulderend klokgelui. De verslaafden, daklozen en *hooligans* zijn razendenthousiast. Nu verdienen ze een stuiver met hun krantjes en hosseltjes, nu moeten ze zich tevreden stellen met slechts een paar werkelijk bevredigende kloppartijen per jaar, maar straks is het elke dag feest en zijn ze de gevierde acteurs in het historisch openluchtmuseum. Dat is maatschappelijk ondernemerschap, dat is lokaal economische structuurversterking, dat is het creëren van win-winsituaties. Voor de bewoners van de Catharijnesingel is het ook goed. Dan realiseren ze zich misschien dat ze

uw verzorgingsstaat niet uit handen moeten laten glippen. En natuurlijk is het ook goed voor de koele professionals van het Nederlands Instituut voor Zorg en Welzijn op nummero 47. Dat ze weer eens een beetje gevoel in hun donder krijgen.'

'Als ik het goed heb begrepen zijn voor hun kantoor de oude charitaspraktijken gepland?
'Inderdaad. Daar wordt de aloude bedeling en filantropie tot leven gewekt. Daar wordt het heerlijke gevoel van weldoen gevisualiseerd. Wellicht kunnen die verwetenschappelijkte, gedistantieerde sociale instrumentenmakers daar wat van opsteken.'

'Señor Eusebios, een heel andere vraag. In uw werk laat u zich kennen als iemand die het vliegveld en het treinstation als de ultieme plaatsen van stedelijke leven beschouwt. Wat dat betreft valt u hier met uw neus in de boter. Is dat ook de reden dat u zegt: afblijven van Hoog Catharijne?'
'Inderdaad. Leve het milde, gereguleerde klimaat van het station en het vliegveld. Buiten regent het pijpenstelen, is het snijdend koud of tropisch heet, maar binnen is het comfortabel bij de kiosk met de glanzende *magazines*. Binnen klinkt er een kerstliedje of ander toepasselijk deuntje. We komen ergens vandaan, we gaan ergens naartoe, we zijn in beweging, en toch blijven we van elkaar gescheiden. Dat is de urbane schizofrenie die Hoog Catharijne en de Catharijnesingel zo leefbaar maakt. Allemaal eilandjes: de beschermde *middle-class* op Hooch Boulandt, de wereld van de dienstverlening, de zwervers en ver-

slaafden, en het kleine *cosy* buurtje aan het einde van de singel. Hier zie je de typische stedelijke rollen: de automobilist, de forens, de congresganger, de toerist, de *drop-out*, de *young urban professional*, het *double income no kids*-stel en de uitstervende oorspronkelijke bewoners. En tussen al die groepen is er zo goed als geen interactie, en als die er is hou je je hart vast.'

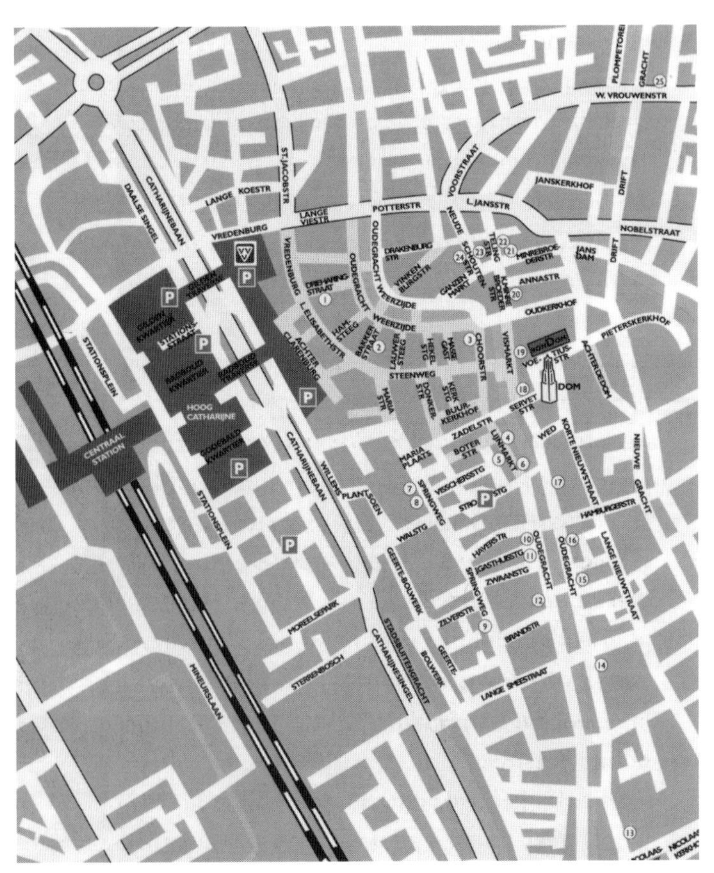

DE CATHARIJNESINGEL ANNO 1999

'Señor Eusebios. Ik heb een vraag van een vrouwelijke luisteraar. De kantoren aan de Catharijnesingel herbergen 1200 tot 1400 werknemers. Zij vraagt zich af of de mensen nog wel aan werken toekomen met al dat spektakel voor de deur?'

'Nu zitten ze de hele dag op het internet te surfen. Wat is het verschil? Als het ze niet bevalt, zetten ze hun bureau maar zo dat ze de gang in kunnen kijken. Ik ben een stedenbouwkundige uit de *fuck the context*-school. Ik voeg aan het desolate *waste-land* van Hoog Catharijne een nieuw element toe. Ik creëer chaos. Waarom zie je geen kinderen op de Catharijnesingel? Niet alleen omdat het levensgevaarlijk is, maar ook omdat alles er zo planmatig en voorspelbaar bij ligt. Als het aan mij ligt gaat dat veranderen. Straks galopperen de paardjes over de zandgronden. Reken maar dat kinderen straks eerste rij staan.'

'Señor Eusebios, u kent de verhalen van oud-werknemers van het Academisch Ziekenhuis over het verdwenen rommelige medische dorpje aan de singel, de verhalen van de gepensioneerde huisarts D. van den Heuvel-Blokland die iedereen langs de singel vroeger kende, en de verhalen van supermantelzorgers Piet en Riekie Serton. Het zou toch mooi zijn als in uw plan een buurtbindend element zou kunnen worden aangebracht? Bestaat er niet een latente hang naar gemeenschappelijkheid onder de bewoners van de Catharijnesingel?'

'Onzin. De hedendaagse moderne samenleving is functioneel, zakelijk en ongebonden. Moderne burgers nemen deel aan een veelheid van multimondiale economische en culturele interacties. Elke notie van plaatsgebondenheid is fout en retro. We zijn al geruime tijd getuige van *the death of distance,* van een groeiende potentiële plaatsonafhankelijkheid en een implosie van de afstand. Het territoriaal burgerschap hoort in een historisch museum te worden bijgezet. Buurtjes, dorpjes, ajakkes! Ook de stad is eigenlijk passé. De suburbane levenswijze is dominant geworden. Tel maar eens de voorsteden van waaruit de NIZW-medewerkers forenzen. We zijn allemaal suburbane wereldburgers. En als ze het nog niet zijn, dan worden ze het. En als ze het niet willen worden, dan worden ze straks geradbraakt en gevierendeeld op de Catharijnesingel door Utrecht-*hooligans*. Als stedenbouwkundige zeg ik: er zijn grenzen aan de interactieve beleidsvorming.'

'Toch zegt de directeur van het NIZW dat het goed zou zijn als er ook "iets van een buurtgevoel" zou ontstaan daar aan de singel.'
'Dat heb ik gelezen, maar wat zegt hij nog meer? Hij heeft nog nooit met zijn buren op de Catharijnesingel gepraat, hij heeft nog nooit een ommetje rond zijn werkplek gemaakt. Heel verstandig. Die directeur zal waarschijnlijk ook iemand zijn met een interessant tijdkorset. Een tijdkorset dat zich moeilijk laat verenigen met het tijdkorset van laten we zeggen de gehaaste forens. Wellicht zijn er aanknopingspunten met dat van de drugsscene in de rizome steegjes tussen de kantoorblokken. Daar draait immers de 24-uurseconomie op volle toeren. Hoe kun je nu een buurtgevoel ontwikkelen als iedereen er een ander tijdkorset en tijdrooster op nahoudt?'

'Mijnheer Eusebios, ik heb hier een mevrouw aan de telefoon die zegt al veertig jaar geen korset meer te dragen. Zij en haar vriendinnen vinden uw plannen heel erg leuk, maar ze vragen zich af of u ook aan de rozenperken hebt gedacht. Ze zijn namelijk dol op rozen.'
'Oh, dat hardnekkige fysiek determinisme, alsof de ruimtelijke kwaliteiten van de omgeving sociaal gedrag zouden kunnen beïnvloeden. Verouderde *social engineering*. Als het aan mij ligt staan straks de brandnetels tot kinhoogte op de Catharijnesingel.'

'Señor Fados Eusebios, het was ons een waar genoegen u hier vanochtend in de studio te hebben. Laatste vraag: wat is uw volgende project? Wordt het dit keer een metrostation, een viaduct of een parkeerterrein in Hoofddorp?'
'Niks van dat al. Ik ga naar mijn geboortedorp in Portugal. Eindelijk eens de boerenschuur opknappen.'

'??? Dames en heren, nogmaals een welgemeend goedemorgen vanuit studio Catharijne. We zeggen adios tegen Fados en eindigen met de oproep: lees het boekje *De Catharijnesingel*. Lees de bijdragen van Lin Tabak, Michiel Verschoor, Lia van Doorn, Annet Huizing en Joanka Prakken. Lees en verwonder u over de werelden die ze blootleggen. En bedenk: goed lokaal sociaal beleid staat of valt met de vaardigheid om eerst heel goed te kijken.'

RADBOUD ENGBERSEN

24 UUR UIT HET LEVEN VAN EEN BETONNEN STADSHART

Het begin van de Catharijnesingel heeft veel weg van een snelweg. Een bunker van beton met voorbijrazend verkeer dat even verderop in aanraking komt met het water van de oude stadsbuitengracht. Een vervreemdende en anonieme wereld die vijfentwintig jaar geleden uit de grond is gestampt. Maar niets gebeurt zomaar. Binnen dat beton was van alles gepland dat beter bij 's lands grootste knooppunt van wegen paste dan wat er stond. En zo is het ook gegaan. Achter de betonnen façades wordt verzekerd, gewaakt over de veiligheid van het Nederlandse spoor, en kankeronderzoek gecoördineerd. Er worden pillen gedraaid en vogelspinnen gevoerd. Er wordt gewinkeld, gewoond, geleden en geleefd.

■

6.30 UUR: DE FIETSENBEWAARDER

Mensen die vaak in een uitgesproken omgeving komen, gaan er vanzelf een beetje op lijken. De duizenden vroege werkers die rond achten vanuit station, busplein, parkeergarages en fietsenstallingen kantoorwaarts trekken, ogen even grauw als de bebouwing eromheen. En ze trekken zich even weinig van elkaar aan. Hun tred is vastberaden, hun blik strak vooruit gericht om een confrontatie met de buitenwereld zo lang mogelijk te vermijden.

Maar terwijl de kantoorbevolking geestelijk nog even doorslaapt, is de vervoerssector al uren actief. Het zou mooi zijn geweest, deze reportage met die mensen te beginnen: de kaartjesverkoper van de NS, de garagehouder en de fietsenbewaarder.
Maar de kaartjesverkoper heeft op dit uur weinig te doen, want de meeste vroege reizigers hebben een abonnement. De parkeergarage is alleen tijdens winkeluren bemand, voor onhandige nieuwkomers die de uitgang niet kunnen vinden. De overige uren wordt zij volledig automatisch en op afstand bediend. Alleen de pachter van fietsenstalling 'Laag Catharijne' aan de Catharijnesingel staat zijn klanten nog persoonlijk te woord. Ruim voor de conciërges de kantoren aan de singel in bedrijf stellen, zet hij de poort open, draait het licht aan en schuift het vertrouwde blauwe bord met het witte fietsje naar buiten.
Tenminste, zo heeft hij dat jarenlang gedaan. Vandaag staat er geen bord. Op een dichte deur hangt een vaag briefje 'wegens omstandigheden', daarnaast een wit A4-tje met een zwarte rand. Pas een paar dagen later staat het blauwe bord weer buiten en geeft een zaakwaarnemer uitleg. Tot in de meest macabere details – die tegen die tijd het hele Catharijnecomplex kent en die sommige dames van de Dienst Welzijn van de gemeente met eigen ogen hebben aanschouwd toen ze, nietsvermoedend, net vóór de politie arriveerden. Die details, zegt de korte, gezette man die zich nu als spreekbuis en censor ontpopt, mogen niet in het verhaal. Sommige dingen moeten worden verteld, eindeloos vaak. Maar opschrijven, dat is iets anders.
Wat wél op papier mag, is de reden achter de daad. De

stalling liep de laatste jaren niet meer. Het lag niet aan de service. Je fiets werd voor je weggezet, je band dezelfde dag nog gerepareerd. Het was evenmin de locatie, dichter bij de stad dan de stationsstalling en pal onder de kantoren en de winkels. Het was ook niet de ruimte. Die was precies zoals een fietsenstalling moet zijn: half duister, stoffig en ruikend naar rubber en olie. Uit een elektrische pomp kreeg je voor een stuiver lucht en uit een koffiezetapparaat kon je voor twee kwartjes een bakje tappen voor onderweg.
Het was, zegt de gezette man met plaatsvervangende woede, de gemeente. Die opende vlakbij op het Vredenburg een stalling waar je je fiets kwijt kon voor één piek in plaats van voor een gulden vijfenzestig. En alsof dat de toeloop niet genoeg drukte, voegde ze er vorig jaar nog een stalling bij op de hoek van het Stationsplein en het Moreelsepark, die maar twee kwartjes kostte. Die stallingen worden bewaakt door banenpoolers, bekostigd door Sociale Zaken. De pachter van Laag Catharijne betaalde zichzelf.
De reden voor de gemeentelijke actie, zegt de man, was het terugdringen van het wild parkeren. Maar het enige dat terugliep, was de klandizie van Laag Catharijne. En natuurlijk het humeur van de pachter, die sommige mensen zo nors bejegende dat ze vanzelf wel overliepen naar de concurrent en die het gebrek aan inkomsten alleen wist te compenseren door zich vast te bijten in zijn werk. Alle dagen van de week stond hij er, van 's morgens half zeven tot 's avonds kwart over zes, en ook nog twee avonden. Tot hij er op die ene ochtend niet meer stond...
Hoe het verder moet met de stalling, weet niemand.

Binnen is ruimte voor vijftienhonderd fietsen. Nog geen honderd plaatsen zijn op een ochtend als deze bezet.

■

8.30 UUR:
KOFFIE MET PIRANHA'S

Aan het begin van de Catharijnesingel kun je de trap op naar winkelcentrum Hoog Catharijne. Je passeert dan misschien wel de merkwaardigste coffeeshop van het land. Daar kun je ontbijten in gezelschap van piranha's. Mits je ze niet, zoals een informatief bordje waarschuwt, je vingers voert. Maar je moet geduld hebben. Voor de meeste middenstanders is het openen van de zaak een kwestie van rolluik omhoog,

licht aan en elektronische kassa inloggen op het net. Voor de dierenwinkel-coffeeshop duurt het wat langer. Wanneer eigenaar Jan van der Brom zijn sleutel in het slot steekt, wordt hij begroet door een zenuwachtig gekwetter dat langzaam overgaat in een oerwoudgebrul: wevers tegen valkparkieten, dwergpapegaaien tegen kaketoes en de lori tegen de ara. De rust keert pas weer, wanneer alles van vlokken en brokken, zaden en granen, spinnen, larven en wormpjes is voorzien. Dan is het tweeënhalf uur later.
Nog steeds zijn er mensen die zich over deze dierenwinkel verbazen. Zoveel leven verwachten ze niet tussen het beton. Toch zit hij er al achttien jaar. Lang was Van der Brom de grootste van de stad en nog steeds heeft hij de meest uitgebreide collectie: haaien en vliegende honden, leeuwenkoppen en vogelspinnen, doodshoofden met een kroontje voor in het aquarium, pluchen kattenklimtorens van vier etages en hondenijsco's, in zes smaken. Zodra het goed gaat met de economie, stelt ook het huisdier zijn eisen. Toch is Van der Brom niet echt tevreden, de klandizie laat te wensen over. Hij zit een beetje in de blindedarm van het complex. Hij krijgt aanloop van junks, die hun hond uit de voerbak voor de ingang laten grazen en van dames van de dierenbescherming die komen klagen dat er te veel cavia's in zijn kooien zitten. Het grote publiek daarentegen loopt dóór. En van het grote publiek moet een winkel het op een locatie als deze toch hebben, niet van de naam en de kwaliteit.

Dat laatste geldt niet alleen voor de winkels in Hoog Catharijne, maar voor bijna alle zaken op het knoop-

punt van wegen. Een locatie waar veel mensen voorbij komen, creëert als vanzelf vluchtige en vlottende contacten. Iedereen is welkom, niemand is er echt thuis.
Eigenlijk is het op deze plaats altijd zo geweest, in elk geval sinds de stad Utrecht voor haar inwoners niet alleen meer een veilige verblijfplaats was, maar ook een uitvalsbasis voor hun ondernemingszin.
Dat was midden 17e eeuw. Ten westen van de Catharijnepoort lagen toen de vaarten naar Leiden en Keulen en de landwegen naar Leiden en Amsterdam. Het reizigersverkeer concentreerde zich rond de binnenhaven, pal ten noordwesten van de Catharijnesingel. Die haven werd al gauw een vrijplaats, omgeven door herbergen en logementen waar niet alleen geslapen werd, maar ook gedobbeld, gebedeld en gecolporteerd en waar culturen en ideeën elkaar ontmoetten.
Van tijd tot tijd probeerde de gemeente greep te krijgen op de gang van zaken, maar keer op keer mislukte dit. In de 19e eeuw stelde het stadsbestuur voor om het gebied te bebouwen met herenhuizen. Maar terwijl de gemeente eindeloos over het voorstel delibereerde, annexeerden de spoorwegen het ene na het andere perceel. Toen men het rond 1865 eindelijk met elkaar eens was, schoot voor de deftigheid niet méér over dan het blok tussen de singel en het station.
Tot in de jaren zestig van deze eeuw woonden aan de Catharijnesingel artsen, fabrikanten en directeuren, langs een groenstrook die decimeter voor decimeter werd opgeofferd aan het groeiende autoverkeer. Maar in de dwarsstraten legde de status het al gauw af tegen eethuizen, logementen en hotels. Toen daar ook

nog een busremise bijkwam, ruimde de deftigheid het veld voor studenten, krakers en incomplete gezinnen. Die legden economisch even weinig gewicht in de schaal als hun uitgewoonde behuizing. Toen de gemeente medio jaren zestig tot sloop besloot, was er dan ook weinig serieus verzet.

■

10.30 UUR: WELZIJN

In de traverses boven de Catharijnesingel verloopt het leven op dit tijdstip enigszins normaal. De mensen hebben minder haast en kijken elkaar weer aan. Maar langs de singel is het menselijk contact nog altijd minimaal. Over de rijbanen schuift een gestage stroom auto's voorbij, het maaiveld is vrijwel verlaten. Wie hier niet moet zijn, rijdt snel door of kiest een gezelliger route. En wie hier wél moet wezen, is inmiddels ruimschoots binnen. Verdwenen, bijvoorbeeld achter de glazen deur van nummer 33. Je kunt zo doorlopen naar de vierde verdieping, waar de Dienst Welzijn van de gemeente Utrecht huist, zonder ook maar één hindernis te passeren. Dat heeft al tot pijnlijke taferelen geleid. Er waren mensen die het woord welzijn letterlijk namen. Een ouder echtpaar deed zijn beklag over de ongeïnteresseerde behandeling in één van de winkels. En een blinde man kwam wanhopig vragen of ze iets aan zijn eenzaamheid konden doen.
Niemand verkoopt graag 'nee'. Maar de medewerkers konden echt niets verzinnen. De dienst behartigt niet het welzijn van het directe publiek. Welk welzijn dan

wel? Als de behuizing een maat is, fluctueert dat. Overal liggen ladders en leidingen, nergens staan meer bureaus. 'De dienst zit hier pas tweeënhalf jaar', zegt beheerder Edwin Kramer die is achtergebleven bij de laatste dozen, 'maar is nu alweer bezig aan een volgende verhuizing.' Er zijn sectoren in deze maatschappij die hun plaats hebben. En er zijn sectoren waarmee voortdurend wordt geschoven.

Dat de nieuwbouwplannen voor Hoog Catharijne indertijd zo weinig weerstand ontmoetten, kwam niet alleen door de belabberde staat van wat er stond. Het was ook de verdienste van wat er zou komen: geen mooie, deftige woonwijk ditmaal, maar een complex dat de aantrekkingskracht van vervoersknooppunt uitbuitte. Geheel volgens de logica van die tijd werden alle werk- en vervoersfuncties gescheiden. Het wonen kwam helemaal bovenin, het winkelen op de eerste verdieping, langs voetverbindingen tussen centrum en station. De kantoren werden geconcentreerd langs de Catharijnesingel die plaats maakte voor een ondergrondse autoweg. Het fietsen ten slotte bleef waar het was: op het maaiveld.
De gok bleek in veel opzichten goed. Binnen het jaar had de halve Nederlandse bevolking het complex bezocht. En vijfentwintig jaar na de opening ontvangt Hoog Catharijne jaarlijks alleen al drie keer het aantal inwoners van ons land: 45 miljoen.
Ook de kantoren werden grif verhuurd. De nieuwbouw trok concerns van meer dan nationale allure. Volmac vestigde er zijn nationale opleidingscentrum en de Rabobank ontving er zijn hoogste gasten.

Die status van toplocatie is inmiddels een beetje gesleten, want ook andere steden hebben nu hun stationswijk tot hoofdwerkerscentrum verbouwd. Bovendien hebben bedrijven meer te besteden. Een centrale locatie alléén is niet meer genoeg, ook de visuele kwaliteit telt. De meeste panden zijn dan ook al aan hun tweede of derde generatie inwoning toe. Die generaties zijn minder spraakmakend: geen bedrijven maar instellingen, stichtingen, raden, verenigingen, bureautjes en afdelingen-op-zoek naar definitieve behuizing. Sommige verdiepingen staan zelfs leeg. Maar met elkaar herbergen de kantoren aan de Catharijnesingel nog altijd 1200 tot 1400 werknemers en het segment van de samenleving dat ze bestrijken is groot en cruciaal. Want wanneer de 140 mensen van RailNed morgen ophouden met hun werk, komt u overmorgen nog wel veilig op uw bestemming, maar volgend jaar beslist niet meer. RailNed zorgt dat NS, Lovers, NS Cargo, Shortlines en ACTS hun wagons niet allemaal op dezelfde tijd op hetzelfde baanvak laten rijden. En als de Vereniging van Afvalverwerkers gaat staken, groeit de nationale vuilnisbelt wellicht tot in lengte van dagen door. Want dan gaat de Nationale Afvaldag niet door en kunt u uw vuilniszak niet achterna om te zien wat u met al dat weggooien aanricht.
De Catharijnesingel herbergt in totaal zeven afvalorganisaties, vijf NS-afdelingen en drie organisaties die zich met kanker bezighouden. Er werken budgetonderzoekers en bankiers, opleiders, elektrotechnisch ingenieurs en verzekeraars. Er is een uitzendbureau en een inloopcentrum. Er zijn mensen die alles weten

van migratie en mensen die werken aan het hoog-waardig openbaar vervoer. U kunt er vergaderen en naar de bioscoop. En voor lichamelijke noden kunt u bij apothekers, logopedisten en tandartsen terecht. Daarnaast zijn er natuurlijk de winkels die behalve spijkers en plankjes ongeveer alles leveren wat een mens in zijn leven behoeft. Samen met het Muziek-centrum en de Sporthal Catharijne bestrijkt het totale complex vrijwel alle sectoren van het maatschappelijk leven. Wie er werkt, hoeft eigenlijk alleen nog naar huis om te slapen. En wie er ook nog woont, hoeft eigenlijk nooit meer de deur uit wanneer hij niet wil.

■

15 UUR: JENNIFER

De thermometer buiten wijst 16 graden aan. Een loodgrijze lucht barst los in een onstuimige bui. Op het fietspad vormt zich een meertje, waarin de wind losliggende bekertjes, plastic zakken en herfstbladeren tot een smoezelige herfstcocktail mixt.
Voor kousenman John de Beer zijn dagen als deze van goud. Het is niet meer te warm voor kousen en nog niet te koud. En buiten is het onbehaaglijk genoeg om de mensen Hoog Catharijne in te drijven. John heeft dan ook een onverwoestbaar goed humeur. 'Díe vleeskleur bedoel ik!' onderbreekt hem een breekbaar dametje, terwijl ze een voet boven de toonbank uit steekt. Maar John praat onverstoorbaar. Over zijn vader, die op oorlogsgronden weigerde om bruine overhemden te verkopen en hem tot deze eigen zaak

heeft gebracht. Over zijn Franse leverancier, die weigerde om zich aan te passen aan de Nederlandse vrouw, die niet ophoudt bij maatje 39 en haar panty's niet in een doosje wil maar in een vensterenveloppe, met zo'n mooie bilpartij erop die de polderfantasie een beetje helpt.
'Nee mevrouw!', roept hij intussen tegen een klant die hem het kruis van een kapotte steunmaillot onder de neus duwt. 'Ik hoef écht niet te weten waar dat gat zit!' John de Beer heeft de afgelopen vijfentwintig jaar alle beenmodes overleefd: aerobics, die de verkoop van maillots zo aanjoegen dat hij een eigen fabriekje begon. De Fame-rage die singletjes voorschreef, waardoor hij het fabriekje weer kon sluiten. De bonte benen. En nu weer de saaie sokken. Hij werd zozeer deel van het winkelcentrum, dat hij vier jaar geleden besloot om er ook te gaan wonen. 'Of je nou op de zesde verdieping woont of op de veertiende', haalde hij zijn vrouw over, 'dat maakt weinig meer uit.'
Ze hebben er nooit spijt van gehad dat ze hun vrijstaande villa in Austerlitz opgaven. Nu hoeven ze geen tuin meer te onderhouden. De hond Jennifer kan weliswaar niet meer het bos in, maar die is inmiddels stram en vindt een rondje Moreelsepark ver genoeg. Of hij het niet benauwend vindt dat zijn wereld zo klein is geworden? 'Ik ben geboren boven een winkel. Nou moet ik eerst nog helemaal met de lift.'

Elke buurt heeft zijn geheimen, ook deze. Niet veel mensen weten dat je niet alleen veertien verdiepingen hoog kunt, maar ook naar beneden tot de min

tweede, naar aannemersopslagplaatsen van waaruit het complex permanent wordt verbouwd. Weinigen kennen de lift die vrachtwagens kan optillen tot de traverse. En bijna niemand weet dat tussen het beton inmiddels zoveel muizen wonen dat menige zaak zijn eigen dienstkat heeft.
Maar het best bewaarde geheim is het uitzicht. Vanaf de veertiende verdieping zijn bij mooi weer niet alleen de bossen van Austerlitz te zien, maar zelfs de hele provincie. Vanuit de appartementen is het spoorweg-emplacement een onbeduidende onderbreking van de bebouwing, het verkeerslawaai onhoorbaar ver weg en het benauwde winkelcentrum een andere wereld.
In dit decor is de deftige woonbuurt ontstaan die het gemeentebestuur de vorige eeuw al ambieerde. Het complex herbergt drie torens met samen 150 woningen. De galerijen heten 'corridors'. Achter de brievenbussen bevinden zich geen muffe trapportalen maar gestoffeerde entreehallen met schilderijen en fauteuils. De woonlagen worden bezet door de hoogst gewaardeerde leden van deze maatschappij: doktoren, advocaten, professoren en generaals, de voorzitter van FC-Utrecht en tot voor kort zelfs een songfestivalwinnares.
De banden tussen die bewoners verschillen in niets van die op het maaiveld. Men groet elkaar in het voorbijgaan, men gaat niet op pantoffels bij elkaar op bezoek. Men roddelt niet, men informeert naar elkaars gezondheid en stelt zich op nieuwjaarsrecepties aan de nieuwkomers voor. Sommigen gaan nog iets verder en geven elkaars planten water in de vakantie of delen een hobby.

Anderen daarentegen houden met opzet afstand. Ze zijn hier juist komen wonen om géén buren te hebben, geen inkijk, geen aanloop en alleen bezoek op afspraak. Zij zijn ook niet actief in de bewonersvereniging, maar vragen wanneer hun ramen kunnen worden gewassen. Die laatste categorie, constateert de oude garde met spijt, wordt groter. Gemeenschapszin maakt plaats voor consumentisme. Maar gemeenschapszinnen slijten al zolang ze bestaan. Die hebben gewoon af en toe een stroomstoring of een brandje nodig om weer tot bloei te komen.

■

19 UUR: OPENBARE RUIMTE

Een verbodsbord in een openbare ruimte maakt vaak nieuwsgierig naar de gebruikers. Voor iets verboden wordt, moet het immers eerst op onaanvaardbare schaal zijn gedaan. Maar in Hoog Catharijne is de lijst met verboden zo lang dat je gaat twijfelen aan de betekenis van het woord 'openbaar'.
Verboden zijn: vernielen, vervuilen en wildplassen. Verboden zijn ook: dealen en bedelen, wapens dragen en jezelf prostitueren; slaan, dreigementen uiten, schreeuwen, hinderlijk zingen en muziek maken zonder schriftelijke toestemming van de eigenaar; fietsen, bromfietsen, rolschaatsen en skateboarden; zitten op de grond en op straatmeubilair dat daarvoor niet is bestemd. Zitten op zitmeubilair mag wél, maar is onmogelijk: dat is namelijk bij de laatste verbouwing verwijderd. Verboden ten slotte zijn samenscholen en

zich onnodig ophouden – in gewoon Nederlands: staan.
In de openbare ruimte, vat wijkagent Richard van Maanen de litanie samen, mag behalve winkelen helemaal niets. Van Maanen heeft veel geleerd sinds hij begin jaren negentig bij het wijkteam werd ingedeeld. Hij kent de prijzen en de modes in harddrugs, de gebruikers en hun psychologie. Hij heeft ook een paar dingen begrepen. Het eerste: de daklozen en verslaafden in en rond het complex krijg je niet weg, althans niet met menswaardige methodes. Het tweede: ze zijn niet gevaarlijk, alleen eng. Bange mensen kopen niet. En voor kopen is dit stuk van het complex uiteindelijk bedoeld.
Na jaren van proberen, zegt Richard van Maanen, heeft men uit deze vaststelling eindelijk de juiste conclusies getrokken. Op beleidsniveau zijn daarvoor mooie termen bedacht: wijkzorg, integrale benadering, gedeelde verantwoordelijkheid van alle betrokken partijen. Wat het concrete politiewerk betreft kan het korter: wat je niet kunt wegkrijgen, moet je onzichtbaar maken. En onzichtbaar maken betekent in deze contreien: doen opgaan in de voorbijtrekkende massa.
Omdat de politie slechts over een eindig aantal mensen beschikt, gebeurt het doen opgaan vooral wanneer die massa het dichtst is, zoals op de donderdagse koopavond. Tussen het Gildekwartier en de uitgang Moreelsepark/Catharijnesingel drijven Richard van Maanen en zijn collega Sander van der Kamp twee keer een paar Marokkaanse jongens uiteen omdat ze dreigen een groepje van drie te vormen. Ze weten

bijna een poging tot kassakraak te verijdelen – een voorbijganger is hen voor – en ontnemen drie Nederlandse alcoholisten een half blikje pils.

'Het geheim is', zegt Sander, 'niets tolereren.'

'En het werkt', zegt Richard. 'Het aantal klachtenmeldingen van winkeliers is teruggelopen van vijfenzeventig per maand naar acht'.

De patrouille heeft zijn vaste punten. Een daarvan is de broeierige halfduistere Stationsdwarsstraat, waar het spitsuur is. Behalve alle daklozen hebben zich daar ook alle bewakers, stadswachten en politiepatrouilles verzameld. Maar in een volle vijver valt altijd wat te vissen. Een magere Aziaat krijgt een bon wegens chinezen. Of die bon ooit betaald zal worden? Dat is niet míjn zorg, zegt Sander.

Eindpunt is het Inloopcentrum aan de singel, waar het koppel als stamgasten wordt begroet. 'Voor onze achtergrondinformatie', legt Richard uit. 'Wanneer het hun uitkomt, vertellen ze ons álles.' Vooral vandaag zijn er veel van die momenten, want tegen negenen en vele bekertjes welzijnskoffie later, zitten we er nog. Dan keert Richards gesprekspartner – 'ik ben de oudste junk van de stad' – zich naar mij, klaar om zijn hele leven in mijn opschrijfboekje te deponeren. Maar op het moment dat hij zich realiseert dat dat leven zich voor het grootste deel afspeelt binnen deze betonnen moloch, stopt hij. Hij kijkt Richard indringend aan. 'Voor mij', zegt hij, 'mogen ze de hele zooi hier in de lucht laten vliegen.' Een paar tellen lang heeft de agent geen weerwoord. Dan zegt hij, met goed gespeelde ongerustheid: 'Ben je gek joh, dan staan wij allebei op straat!'

■

21.15 UUR: DE LAATSTE VOORSTELLING

De morsige trap tussen Catharijnesingel en Stationstraverse is een paar jaar geleden vervangen door marmer en glas. Op het gebruik heeft dat echter weinig effect. In het portaal laat een broodmagere vrouw traag zichzelf en haar broek zakken. Een paar minuten later haalt ze alles onverrichterzake weer omhoog en loopt lusteloos weg. Bijna is het niet erg meer, dit incident. De winkels zijn dicht. Alleen de bioscoop draait nog een laatste ronde.

Het is een vreemd gezelschap dat deze voorstelling verzorgt. Geen van allen houden ze van de films die er draaien. Actiefilms, waarbij niet het verhaal telt maar snelheid en geweld. Ze houden eigenlijk ook niet van hun publiek: jongeren tussen de 18 en de 26, te stoer voor hun postuur en geen eisen stellend aan de inhoud. Precies het publiek, zegt bedrijfsleider Joke Kamstra, dat je op een plaats als deze kunt verwachten.

Met de middenstanders een verdieping lager kan het bioscooppersoneel het goed vinden. En de daklozen krijgen het brood dat overblijft van de recepties – tot afgrijzen van de bewakers voor wie dat zoiets is als kaas neerleggen voor de muizen. Alleen met de bovenburen van de appartementen botert het niet echt. Achter de bioscoopfoyer ligt een immens terras waar je 's zomers heerlijk zou kunnen zonnen. Dat hebben ze vroeger ook gedaan. Maar toen bleek dat een bovenbuurman zijn verrekijker in het bloesje van de caissière had gericht, was de animo snel voorbij. Het enige stukje omgeving waarover Joke Kamstra niets kan zeggen, is de Catharijnesingel. Daar komt ze nooit. Wanneer de laatste bezoeker weg is, de popcornmachine schoongeveegd, de kassa opgemaakt, de lichten gedoofd en de deur afgesloten, loopt ze in tien passen naar de lift die haar in de parkeergarage brengt en dan rijdt ze linea recta naar huis.

Mensen blijken zich verrassend goed aan te kunnen passen. Toen de gemeente Utrecht in de jaren zestig tot de bouw van het betoncomplex rond de Catharijnesingel besloot, voorspelden sceptici een inferno van vervreemding. Zo erg is het niet geworden, althans niet voor zover het de mensen betreft die er werken en wonen. De onderlinge contacten zijn niet altijd even intensief. Er zijn mensen die hun buren niet kennen, niet weten wie er in het kantoor naast hen werkt en nog nooit een stap op straat hebben gezet. Maar dat wil niet zeggen dat zij omkomen van eenzaamheid. Hun contacten zijn alleen niet plaatsgebonden, zoals vroeger in een dorp. Zij hebben hun netwerk elders. Dat is niet inherent aan het betoncomplex, dat hoort gewoon bij het leven in een grote stad. Maar er zijn ook netwerken bínnen het complex. Er is een winkeliersvereniging en een bewonersvereniging. Wanneer beneden in de fietsenstalling een drama plaatsvindt, weten ze dat een paar uur later boven op kantoor en in de winkels. Er zijn veldwachters. Er zijn dorpsgekken. Misschien is er ook wel een burgemeester. En wie er studie van maakt, kan vast met gemak een spreekwoordelijke oude boom aanwijzen, waarbij

de wederwaardigheden van de dag worden besproken. Ook de dorpeling komt ruimschoots aan zijn trekken.
En toch ontbreekt er iets.

■

3.55 UUR: DE EIGENZINNIGE APOTHEEK

Strikt genomen zijn 's nachts niet alle deuren gesloten. Eén staat er op een kier: de deur van apotheek Ziekenzorg op Catharijnesingel 57. De apotheek is als enige in de stad permanent open en neemt daarmee een voorschot op de vierentwintiguurseconomie. Ziekenzorg is waarschijnlijk de oudste gebruiker van dit stukje singel. In elk geval is het de meest eigenzinnige. In de jaren dertig begon een ziekenfonds voor minder bedeelden midden tussen de herenhuizen een eigen medicijnverstrekking. De fondsapotheek kocht zelf in en bespaarde daarmee zijn patiënten – en zichzelf – de aanzienlijke winsten van het farmaceutische circuit. Daarmee was hij collega-apotheken een doorn in het oog.
Dat laatste is in de loop der jaren alleen maar erger geworden. Ziekenzorg bezorgt gratis. Ziekenzorg verkoopt de pil zonder doktersrecept en toen de Britse drogisterijketen Boots in Rotterdam een vestiging opende die ook geneesmiddelen-op-recept verstrekte, was Ziekenzorg als enige in het land bereid om de bevoorrading te verzorgen.
Die ondernemingslust loont. Met vier apothekers en negentien assistenten is Ziekenzorg de op een na

grootste apotheek van het land. Maar wie dacht dat de mensen er dan tot in de kleine uurtjes in de rij staan, vergist zich. Kennelijk houden lichamelijke behoeften het gewone dag- en nachtritme aan, want wanneer een nachtwaker op surveillance om vijf voor vier een verbandtrommeltje komt halen, moet hij de assistente uit haar bed bellen. Hij blijkt de derde klant van die nacht.

Op deze kleine interruptie na is de Catharijnesingel op dit uur dicht. Leeg en levenloos, even leeg en levenloos als de dwarsstraten en de traverse erboven. In deze omgeving zijn verboden eigenlijk nauwelijks nodig. Hier mág niet alleen weinig, hier kán ook bijna niets. Hier komen alleen echte desperado's aan hun trekken, ieder ander loopt vanzelf haastig door.
Het complex aan de Catharijnesingel is niet de enige voorbijgangersonvriendelijke omgeving. Ook op een industrieterrein is het 's avonds en 's nachts niet aangenaam wandelen. Maar op een industrieterrein heeft een wandelaar na werktijd niets te zoeken. Een stadscentrum daarentegen ligt op het kruispunt van wegen. Een stadscentrum is van iedereen.
Behalve in Utrecht, daar is het van niemand – of liever: daar is het van de winkeliers, de bewoners en de bedrijven. Maar hun valt niet echt iets te verwijten. Hun schuld is het niet dat de openbare ruimte geen ontmoetingsplaats meer is maar een transportband, de snelste verbinding tussen koper en klant, tussen spoor en kantoor. Dat is de schuld van de bouwer.
Zij hebben deze locatie alleen gekozen, niet om het gezellige straatleven maar om de bereikbaarheid en

het gemak. En dat gemak hebben ze ruimschoots gekregen. De recente plannen voor gedeeltelijke sloop van het complex krijgen hier dan ook weinig handen op elkaar. De reacties variëren van een zuinig: 'De gemeente heeft niet de visie om zich aan zulke grote projecten te wagen', (een bewoner van een van de woontorens die blijft staan) via een gelaten: 'Ze zullen me wel wegpesten', (de dierenwinkelier in de blindedarm die waarschijnlijk wordt geknipt) tot een: 'Over mijn lijk', (een bedreigde eigenaar-bewoner).
Eigenlijk zijn de huurders en pachters van het Catharijnesingelcomplex heel tevreden met wat er staat. Ze willen ook nog wel hun eigen stoepje schoonvegen. En ze willen best, zoals de directeur van Verzekeringsunie op Catharijnesingel 48 het formuleert, '...de gemeente bellen wanneer er een trottoirtegel losligt, zodat de voorbijganger niet struikelt.' Maar daarmee houdt hun verantwoordelijkheid voor die voorbijganger op. Na gedane zaken gaan ze naar huis en naar bed en moet de voorbijganger het met de inerte gevels doen. Tot de volgende ochtend half zeven, wanneer het blauwe bord met het witte fietsje weer buiten wordt gezet.

LIN TABAK

STADSVERNIEUWING AAN DE SINGEL

'Een stad die stilstaat gaat achteruit,' meldt de website van de gemeente Utrecht op het internet. Daarom gaat een deel van de Utrechtse binnenstad, na een ingrijpende verbouwing begin jaren zeventig, de komende jaren opnieuw op de schop. Ook de Catharijnesingel zal met de uitvoering van het Utrecht Centrum Project wederom een gedaanteverwisseling ondergaan. Uiteindelijk moet dit vooral de leefbaarheid en de bereikbaarheid van de stad ten goede komen. In deze bijdrage zicht op oude én nieuwe ideeën over stadsvernieuwing. En reacties op de veranderende omgeving van mensen die er wonen, werken en recreëren. 'Met grote plannen poets je de problemen niet weg.'

Al tien jaar lang varen Jaap en Greet Polman 's zomers met hun *Margaretha* over de Nederlandse binnenwateren. Vanuit hun woonplaats Herwijnen aan de Waal onderneemt het gepensioneerde echtpaar minstens één keer per seizoen een tochtje naar de Utrechtse Catharijnesingel. Greet Polman is geboren en getogen Utrechtenaar. Ze groeide op aan de Oudegracht. Af en toe moet ze even terug naar haar geboortegrond. 'De oude binnenstad blijft trekken', zegt ze, 'niet de nieuwbouw van Hoog Catharijne, die is van na mijn tijd en zegt mij helemaal niks. Als we Utrecht aandoen gaan we overdag gezellig winkeltjes kijken. Met mooi weer komt de familie 's avonds naar

de boot. Dan zitten we met z'n allen op het dek aan de koffie. Beetje zonnen, beetje leuten.'
Voor Greet Polman is het echt vakantie aan de singel. Bakker en kruidenier zijn op loopafstand. Bij de Sint Martinusbrug, in Utrecht beter bekend als de Yuppenbrug, heeft de gemeente op voordracht van de VVV een was- en douchegelegenheid aangelegd. En waar op een camping staangeld wordt geheven komt hier de havenmeester 's avonds liggeld innen. 'Dat kost een gulden per bootmeter,' vertelt Jaap Polman. 'Dus liggen wij hier riant voor een tientje per dag.' Het drukke, rumoerige verkeer dat even verderop over de Catharijnesingel dendert nemen de Polmans op de koop toe. Ze zijn de enigen niet. Jaarlijks doen zeven- á achtduizend waterbewoners de Utrechtse Catharijnesingel aan.

Ooit was dit water een belangrijke verbindings- en handelsroute. Al in de Middeleeuwen maakte de singelgracht deel uit van de Keulse Vaart, die zich uitstrekte van Amsterdam via de Rijn naar het Duitse achterland. De singel bevond zich aan de stadsrand vlak achter de verdedigingswal die Utrecht beschermde tegen indringers. Eeuwenlang was er ambachtelijke bedrijvigheid aan het water en voeren schepen af en aan met handelswaar. In 1969 werd de singel gedeeltelijk gedempt voor de bouw van Hoog Catharijne en de aanleg van de Catharijnebaan. Waar ooit schippers voeren rijdt nu autoverkeer. In het stuk singelgracht dat open vaarwater bleef maakten handelslieden plaats voor de toerist te water, die als vanouds via de Vaartsche Rijn of de Vecht het centrum binnen komt varen.

■

GROEN SCOORT HOGER DAN PARKEERGELEGENHEID

Hoewel de waterkwaliteit niet optimaal is, zwemt er aardig wat vis in de singel. Brasem, baars en zo nu en dan wordt er door sportvissers zelfs paling gevangen. Aan de oever van de Catharijnesingel heeft de Utrechtse hengelaar steevast gezelschap van een oude tamme reiger die aast op de witvisjes die er worden gevangen. Naast vogels en vissen kennen de groene zones in de binnenstad ook onverwachte bewoners. 'In de stadsparken zijn egels en vleermuizen gesignaleerd en in de buitenwijken zelfs hermelijnen', vertelt stadsecologe Ine van den Hurk. Samen met haar collega, milieuadviseur Peter Segaar, waakt Van den Hurk over het broze evenwicht van de sobere stadsnatuur. Namens de afdeling Stadsontwikkeling geven ze natuur- en milieuadvies aan raads- en commissieleden van de gemeente Utrecht. Ook praten ze vanuit hun expertise mee over het Utrecht Centrum Project (UCP), een plan voor stadsvernieuwing dat Utrecht als hart van Nederland op het gebied van wonen, werken en infrastructuur de 21e eeuw moet binnenloodsen. Dit plan, ontwikkeld door de gemeente, de NS, de Jaarbeurs en Winkel Beleggingen Nederland, eigenaar van Hoog Catharijne, zal het beeld van de binnenstad radicaal veranderen. Door (gedeeltelijke) sloop en herinrichting van het Centraal Station, het busstation, de tramhalte en de taxistandplaats wordt Utrecht CS klaargestoomd voor het verwerken van 75 miljoen reizigers per jaar. Het is de bedoeling in het UCP-gebied 1400 woningen te bouwen. Er komt 360.000 vierkante meter kantoorruimte (grotendeels aan de westkant over het spoor) en 40.000 vierkante meter aan extra winkelruimte. Noodzakelijk volgens insiders, omdat Utrecht van 550.000 naar pakweg 700.000 inwoners groeit. Verder worden Vredenburg en de Jaarbeurs uitgebreid. Hoewel de gemeente de auto zo veel mogelijk uit de oude binnenstad wil weren, moet het UCP-gebied wel bereikbaar blijven voor de automobilist die zaken komt doen. Daarom is ook extra parkeergelegenheid in de plannen opgenomen, maar daarvoor moet de gebruiker wel fors betalen. In ringen rond en ver buiten de stad moeten transferia komen waar bezoekers van Utrecht hun auto goedkoop kunnen stallen en overstappen op het openbaar vervoer. Want, als het aan de gemeente ligt verandert Utrecht in een grote 'overstapmachine'. Jan van Zanen, wethouder voor Economische Zaken, UCP, Openbare Ruimte en Milieu: 'Door de bouw van Leidsche Rijn en andere VINEX-locaties in de regio komt er straks meer verkeer naar de stad. Verder neemt het aantal arbeidsplaatsen in Utrecht toe en het Utrecht Centrum Project komt daar nog eens bij. Maar wij gaan alles op alles zetten om ook de toename van het autoverkeer als gevolg van het UCP in te dammen. In onze berekeningen kunnen wij straks 75 procent van de menselijke vervoersstromen met openbaar vervoer en fiets opvangen. En dat gaat ook lukken. Enerzijds door automobilisten die niks in de binnenstad te zoeken hebben gewoon te weren, anderzijds zal een nieuw netwerk van Hoogwaardig Openbaar Vervoer (HOV) ervoor zorgen dat Utrecht zijn reputatie als openbaarvervoersknooppunt waarmaakt.'

In de planologische kaarten zijn groentinten niet over het hoofd gezien. Volgens milieuadviseur Segaar gaat het hier niet slechts om opsmuk. 'Ik denk dat beleids- en plannenmakers het belang van groen vandaag de dag wel inzien. Op het definitieve ontwerp UCP staan lange rijen met nieuwe bomen aangegeven. Die moeten het straatbeeld in het centrum verfraaien. Doorgangswegen zullen daardoor het aanzien krijgen van echte boulevards.' Stadsecologe Van den Hurk: 'Uit de Utrechtse Milieuverkenningen van de afgelopen jaren blijkt dat mensen de aanwezigheid van groen in hun

directe leefomgeving erg belangrijk vinden. Groen scoort zelfs hoger dan de aanwezigheid van parkeergelegenheid.'
Op aandringen van de lobbygroep 'Utrecht weer Omsingeld' besloten UCP-managers ook het doortrekken van gedempte singels in de plannen op te nemen. Zo worden de Catharijnesingel en de Weerdsingel stukje bij beetje weer in de oude staat teruggebracht tot aan de Weerdsluis. Ook het doortrekken van de Leidsche Rijn wordt in de plannen genoemd. Door deze ingrepen ontstaan er, net als vroeger, doorgaande vaarroutes. Het water wordt op sommige plekken twintig meter breed en krijgt, waar de ruimte het toelaat, groene oevers. Waar het water Hoog Catharijne passeert, wordt de doorvaart smaller en zal het groen net als vroeger onderbroken worden door stenen kades.

Greet Polman, eigenaar van de *Margaretha*, kan zich nog herinneren dat de singel open vaarwater was. Ze is blij dat ze met haar boot straks weer rechtstreeks de Vecht op kan. 'Nu moeten we helemaal om. Maar het zal wel even duren hoor. Ik weet niet of m'n man en ik het nog meemaken.' 'Wanneer de eerste boten langs Hoog Catharijne zullen varen is inderdaad moeilijk te voorspellen', zegt Segaar, die meepraat over het herstel van de singels. 'Voor de uitvoering van het UCP is ruimte nodig voor sloop- en bouwwerkzaamheden. Het doortrekken van de singel zal waarschijnlijk pas als laatste gerealiseerd worden.'
De singel is, vanaf het Moreelsepark dat halverwege ligt, beschermd stadsgezicht. Kijkend in zuidelijke

richting is nog iets terug te vinden van het oude Utrecht. De bomen langs de singel, de singelgracht zelf en de aarden wal ter linkerzijde zouden, auto's en plezierjachten weggelaten, niet vloeken op een foto van voor de oorlog. Maar wie zich omdraait naar het noorden, heeft het gevoel uit een tijdmachine te stappen. Daar bestaat het 'provinciale' Utrecht niet meer, maar strekt de compacte stad met zijn grootschalige betonnen werk- en winkelparadijs Hoog Catharijne zich boven de horizon uit.

■

HET PLAN HOOG CATHARIJNE

In 1961 werd Plan Hoog Catharijne voor het eerst besproken door vertegenwoordigers van de gemeente en ontwerpbureau EMPEO, een dochteronderneming van bouwbedrijf Bredero N.V. Theo Harteveld, in de jaren zestig PvdA-wethouder Ruimtelijke Ordening, kan zich de hooggespannen verwachtingen van toen nog goed herinneren. 'Utrecht had begin jaren zestig nog echt het karakter van een provinciestad. Het winkelapparaat was in vergelijking met andere steden ernstig achtergebleven. Utrechters gingen in die tijd voor inkopen naar Amsterdam, omdat hier lang niet alles te koop was. Dat moest veranderen. Een ander belangrijk uitgangspunt voor stadsvernieuwing was de diepgewortelde wens van de spoor- en busmaatschappijen om van Utrecht een openbaarvervoerscentrum te maken. Het aantal reizigers dat via Utrecht reisde nam ook toen al jaarlijks fors toe. Verder wilden we met de bouw van winkels en kantoren werkgelegenheid scheppen.'

Halverwege 1962 lag het totaalplan Hoog Catharijne inclusief de bouw van een nieuw station ter beoordeling bij de toenmalige gemeenteraad. Verantwoordelijke partners waren, naast de gemeente en EMPEO: de NS, de Jaarbeurs en de Friesch Groningse Hypotheekbank. In 1963 besloot de raad tot uitvoering van het ambitieuze project dat het stadshart voorgoed zou veranderen. Het duurde echter tot 12 januari 1965 voordat in het bekende Utrechtse Domhotel een bijeenkomst werd gehouden waar het project Hoog Catharijne publiekelijk werd aangekondigd.

De inmiddels 74-jarige Harteveld was destijds 'behoorlijk onder de indruk' van de stedenbouwkundige ontwerpen. Harteveld: 'Over mij is wel gezegd: "Die man vindt alles even prachtig omdat hij uit Rotterdam komt." Hoewel ik al vijftig jaar aan Utrecht kleef, ben ik inderdaad altijd Rotterdammer gebleven. Ik was gewend aan een vrijwel lege binnenstad door het bombardement dat ik zelf heb meegemaakt. Op die kale vlakte bleek na de oorlog van alles mogelijk.'

Zijn fascinatie voor moderne hoogbouw werd in zijn Utrechtse raadsjaren aangewakkerd. 'Toen ik wethouder was ging ik op vakantie naar Toronto en Montreal. Winkelcentra bekijken. Ik heb heel wat van die moderne *shopping malls* gezien. Wat dat betreft lag ik ver voor op mijn collega's die geen flauw benul hadden wat er nabij het NS-station uit de grond zou verrijzen.' Om zijn collega's van de raadscommissie een indruk te geven werd op zijn verzoek een zogeheten *new town* vlakbij het Schotse Glasgow bezocht. Harteveld: 'Daar was een strikte scheiding aangebracht tussen autoverkeer en winkelend publiek, zoals ook in Plan Hoog Catharijne was voorzien. Met goed bereikbaar, overdekt winkelen op verhoogd niveau was Utrecht voorloper in ons land.'

Om Hoog Catharijne mogelijk te maken moest wel het oude stationskwartier worden gesloopt. Het is nauwelijks meer voor te stellen hoe die oude wijk eruit heeft gezien, nu het overdekte winkelcentrum, het trein- en busstation, de kantoorcomplexen en de brede toegangswegen al bijna vijfentwintig jaar het stadsbeeld bepalen. In *Utrecht tussen Station en Vredenburg*, een boekje vol herinneringen aan deze omgeving, wordt verhaald over de vele instellingen die in de stationswijk waren gevestigd, zoals de Utrechtse Assurantie Maatschappij, het Rijkshoofdtelegraafkantoor en het Jugendstil hoofdkantoor van Levensverzekeringsmaatschappij Utrecht aan de Leidseweg. Toen duidelijk werd dat deze panden zouden moeten wijken voor Hoog Catharijne, werden actiegroepen tegen de afbraak opgericht, maar ondanks hun protesten en zelfs een beroep bij de Kroon, werd toch besloten tot sloop. Utrecht verloor daarmee enkele monumentale panden. Maar nog veel meer viel ten offer aan Hoog Catharijne. Het door architect Van Ravensteyn ontworpen voormalige Centraal Station bijvoorbeeld, met zijn glazen pui en sculpturen van Mari Andriesen op het dak. Ook sneuvelden er hotels, cafés, restaurants, een ijssalon, een broodjeswinkel, een parfumeriezaak, een vishandel, een groenteboer, een melkboer en tal van huizen.

Toch is nostalgisch achteroverleunen volgens oud-wethouder Harteveld ongepast. 'Ik heb er nooit spijt van gehad dat wij het stationskwartier hebben afgebroken. Het was een oude wijk, die in die tijd sterk achteruitging. Er zaten bordelen en in de vele smalle dwarsstraatjes stonden overal bussen van het interlokaal openbaar vervoer op de stoep. Het was een bijzonder onaangenaam gebied om te wonen en dat werd allengs erger. Anderhalf jaar voor de sloop stonden de meeste woningen leeg. Jongeren die in communes wilden leven trokken erin. Rondom sommige van die panden ontstond een bescheiden drugsscene. Wij waren in die tijd volslagen onbekend met dat verschijnsel.' Renovatie van het stationskwartier vond Harteveld destijds niet de moeite waard. 'Bovendien zie ik niet in hoe we, anders dan door afbraak, een oplossing hadden gevonden voor het trein- en busstation zoals we dat nu kennen.'

Ook aan de Catharijnesingel die aan de stationswijk grensde, verdwenen eind jaren zestig, begin jaren zeventig veel gebouwen. Op nummer 56, op de hoek van het huidige Godebaldkwartier, bediende ziekenfonds Ziekenzorg sinds 1934 zijn clientèle vanuit een riante villa met serre, veranda en tuin. Ziekenzorg was niet alleen apotheek, in het pand hielden ook artsen, tandartsen en verloskundigen hun praktijk. Ook werd de bevolking er decennialang ingeënt tegen besmettelijke ziektes. Apotheek Ziekenzorg, de enig overgebleven service, is inmiddels opgegaan in ANOVA verzekeringen. Wel heeft de apotheek zijn

eigen identiteit voor een deel kunnen behouden. De deftige villa van Ziekenzorg heeft de tand des tijds echter níet doorstaan. Villa Ziekenzorg moest wijken voor het Godebaldkwartier, het allereerste complex van Project Hoog Catharijne.
Apothekersassistente Jeanette Kortleve kwam na haar opleiding in 1967 bij Ziekenzorg werken. De Catharijnesingel voor de grote verbouwing herinnert ze zich als 'een sfeervolle omgeving, sfeervoller dan vandaag de dag.' 'Zinloos', zegt ze 'dat ze die singel hebben dichtgegooid.' En al even zinloos vindt ze het, dat het water straks weer in de singel terug zal vloeien. Ook de sloop van het oude station kon mevrouw Kortleve niet waarderen. 'Het was erg prettig om daar vanuit het werk naar toe te wandelen.' Van en naar haar werk vermijdt ze de straat tegenwoordig het liefst vanwege de junks en zwervers die zich daar bevinden. Volgens haar trekt het overdekte winkelcentrum Hoog Catharijne door zijn vorm 'verkeerde mensen' aan. 'Een open, overzichtelijk stationsplein zoals er vroeger was', lijkt haar veel veiliger.
Mevrouw Kortleve weet dat de gemeente van plan is het stationsplein te herstellen naar de situatie van vijfentwintig jaar geleden. Een van de paradepaardjes van het Utrecht Centrum Project bestaat uit een modern, schuin omhoog lopend stationsplein in de openlucht. Het nieuwe plein krijgt in de plannen: '(...) veel groen, een duidelijke ingang en wordt omringd door winkels, restaurants en cafés met gezellige terrassen.' Verwacht mevrouw Kortleve dat de huidige unheimische sfeer rondom Hoog Catharijne zal ver-

dwijnen? 'De stationsomgeving zal mogelijk iets verbeteren. Maar met grote plannen poets je de problemen niet weg. Die verplaatsen zich gewoon.'

■

ZORG VOOR WELZIJN AAN DE SINGEL

'Ik denk niet dat iemand dit een prettige omgeving vindt om in te werken,' zegt ook Peter van Lieshout, directeur van het Nederlands Instituut voor Zorg en Welzijn/NIZW. 'Het is wel een ontzettend makkelijke locatie. We zitten twee, drie minuten van het Centraal Station en Albert Heijn is dichtbij.'
Sinds de oprichting in 1988 zetelt het NIZW in het gebouw aan de Catharijnesingel 47. Waar voorheen een kantoor van Van Gend & Loos zat, wordt nu zowel trendsettend als trendvolgend ingespeeld op ontwikkelingen in de zorg- en welzijnssector. Het instituut staat in dienst van de 400.000 beroepskrachten en vrijwilligers die onder meer werken in de thuiszorg, de jeugdzorg, de gehandicaptenzorg, de ouderenzorg, de kinderopvang, het maatschappelijk werk en het sociaal-cultureel werk. Een breed terrein dat de laatste jaren ook nog eens flink in beweging is. Van Lieshout: 'De laatste drie, vier jaar zie je dat de term welzijn een andere invulling krijgt. Het gaat nu ook om bredere beleidsdoelstellingen als leefbaarheid, veiligheid en sociale activering. De traditionele W in NIZW wordt met die aandachtsgebieden ingevuld. Thema's als leefbaarheid en veiligheid zijn de laatste jaren ook uitgewerkt in relatie tot ruimtelijke orde-

ning', weet Van Lieshout: 'Want de manier waarop een woon- of werkomgeving wordt ingericht beïnvloedt immers het gedrag en het welzijn van mensen.' Over het effect dat de omgeving op 'zijn' mensen heeft, zegt hij: 'NIZW'ers stappen 's morgens in de trein, ze komen hier bijna geheel geblinddoekt binnen, gaan aan de slag met het boek of congres dat ze aan het voorbereiden zijn en gaan bijna geheel geblinddoekt weer weg. Dit is niet de omgeving waar ze wonen.' Dat verschillende NIZW'ers al dan niet op persoonlijke titel betrokken waren bij projecten voor opvang en resocialisatie van daklozen in de buurt, zoals *De Straatkrant* en *De Tussenbus*, laat Van Lieshout hier buiten beschouwing.
In de acht jaar dat hij er zelf werkt, heeft Van Lieshout nog nooit een 'ommetje' gemaakt. 'De buurt nodigt daar niet toe uit', zegt hij. 'Ik heb zelfs de buren nog nooit gesproken.' Dat gaat zijns inziens op voor de meeste NIZW'ers en ook voor de andere bedrijfspanden aan de singel. 'De meeste kantoorcomplexen hebben een beperkte band met de buurt. Je ziet ook dat we daar met z'n allen een prijs voor betalen. In sociale zin is er weinig binding. Niemand voelt zich bijvoorbeeld verantwoordelijk voor de overlast die hier rond Hoog Catharijne is ontstaan.'
Toch zijn er wel bedrijven die aandacht schenken aan omgevingsbeheer. Zo zorgt de winkeliersvereniging van Hoog Catharijne ervoor dat de beambten van de particuliere veiligheidsdienst betaald worden en hun werk goed doen. Steeds meer bedrijven gaan er ook toe over een werkdag per jaar vrij te maken om in een naburige wijk klusjes op te knappen. Zou Van Lies-

hout als directeur van een 'bedrijf in zorg en welzijn' geen voortrekkersrol moeten vervullen waar het de problemen rondom Hoog Catharijne betreft? 'Wij hebben natuurlijk minder financieel belang bij omgevingsbeheer dan bijvoorbeeld de winkeliersvereniging. Als instelling hebben wij wel een aantal brieven naar de gemeente gestuurd met de vraag om iets te doen aan de onveiligheid. Maar daar krijg je dan geen enkele interessante reactie op.' En houdt het dan op? 'Misschien zou het aardig zijn om de mensen die hier aan de singel wonen en werken eens bij elkaar te roepen. Dat zouden wij als instituut best kunnen organiseren. Maar dan moet binnen dit kantoor wel eerst het idee ontstaan dat wij verantwoordelijk zijn voor het sociale reilen en zeilen van de buurt.' Als directeur die zich met projecten als *Heel de Buurt* hard maakt voor een wijkgerichte aanpak van problemen zou Van Lieshout het een goede zaak vinden als er ook aan de Catharijnesingel 'iets van een buurtgevoel' zou ontstaan. Maar of het met grote spelers als het ABP en de Jaarbeurs en een gevaarte als Hoog Catharijne ooit nog goed komt met het gevoel voor menselijke maat in de omgeving, betwijfelt hij.

■

VAN OUDE EN NIEUWE AMBITIES

Oud-wethouder Theo Harteveld zegt het goed te begrijpen dat er mensen zijn die kritische noten kraken over 'zijn' winkelcentrumproject. Want hoezeer hij het ontwerp van Hoog Catharijne ook waardeert,

OUD-WETHOUDER THEO HARTEVELD

helemaal tevreden is hij niet. Harteveld: 'Over nieuwbouw valt op de tekentafel niet te oordelen. Pas als het hele complex er staat, kun je je een mening vormen. De materiaalkeuze van Hoog Catharijne vind ik uiteindelijk te eentonig en een aantal gebouwen heeft mastodontische trekjes meegekregen. Een complex als Hoog Catharijne, met al z'n donkere hoeken, maakt dealen natuurlijk makkelijk. Ook dat is een van de consequenties die wij niet hadden voorzien.' Relativerend: 'Toch was het overgrote deel van de Utrechtse bevolking in het begin razend enthousiast over de nieuwbouwplannen en de welstandscommissie heeft destijds de volledige vormgeving goedgekeurd.' Op de vraag wat hij anders zou doen als hij Hoog Catharijne opnieuw zou mogen bouwen, zegt hij: 'Ik zou er meer wonen ingebracht hebben. Wonen is nu beperkt tot één enkel hoogbouwcomplex nabij het Gildekwartier. Verder zou ik het Holiday Inn dichterbij het station plannen, want rondom een hotel is vierentwintig uur per dag beweging. Met woon- en hotelfuncties krijg je meer leven op straat. Ook zou ik kiezen voor meer groen. Hoog Catharijne is nu een vreselijk kale bedoening. Als ik destijds in de toekomst had kunnen kijken zou ik ook hebben gepleit voor meer open en cirkelvormige loopcircuits waarmee je het aantal donkere hoeken beperkt. Wat de uitvoeringssituatie betreft zou ik kiezen voor gefaseerde bouw. De bouw van Hoog Catharijne heeft, van eerste ontwerpschets tot afronding, non-stop twintig jaar geduurd. Er zaten geen momenten van bezinning in. Het was één plan. Misschien hadden we tussentijds onderdelen moeten herzien.'

Jan de Weerd, die als stedenbouwkundige werkzaam is bij de gemeente Utrecht, kan zich wel vinden in de woorden van Harteveld. 'Ook al heeft Hoog Catharijne de ontwikkeling van Utrecht een enorme impuls gegeven, bouwkundig is het een van de missers uit de jaren zestig en zeventig. In die tijd hadden we nog te maken met de naweeën van een zeer bepalende architectuurfilosofie: de filosofie van lucht, licht en ruimte. Hoog Catharijne is veel te veel openbare ruimte. De Catharijnebaan, de onderstraten waar iedereen kan rondlopen, het complex zelf, het is allemaal veel te openbaar. Het UCP wil juist de leefbaarheid verbeteren door de hoeveelheid openbare ruimte kleiner te maken.'
Maar het UCP beoogt natuurlijk nog veel meer. 'Doelstellingen van het UCP zijn, naast verbetering van de leefbaarheid, vernieuwing van de architectuur en modernisering van de mobiliteitsfunctie die Utrecht heeft. Vooral die mobiliteitsdoelstelling van het UCP is belangrijk', zegt Ad Smits, die leiding geeft aan het UCP-Projectbureau. 'Het is rijksbeleid om werkgelegenheid te concentreren bij knooppunten van openbaar vervoer om op die manier de automobiliteit terug te dringen.'

Maar met de komst van extra kantoren, extra winkels en de bouw van extra parkeergelegenheid is het maar de vraag of het verkeer in het centrum van Utrecht zal afnemen. Veel Utrechters zien dit als een ernstig bezwaar tegen het centrumproject. Voor hen staan bereikbaarheid en leefbaarheid op gespannen voet met elkaar. Stadspartij Leefbaar Utrecht won met het publiekelijk uiten van ongenoegens tien zetels tijdens de laatste raadsverkiezingen. 'Oorspronkelijk was het UCP bedoeld als *facelift* voor Hoog Catharijne', zegt bouwkundige Wolfgang Spier, nummer drie op de lijst van Leefbaar Utrecht, 'maar het plan heeft een heel andere wending genomen. Het kantoorvolume wordt verdrievoudigd, er komt vijftig procent extra parkeergelegenheid, meer plaats voor winkels, tunnels en wegen.' Spier verwacht dat de maatregelen om de mensenstroom in de spits met tram en bus te vervoeren niet toereikend zijn. 'Wij verwachten dat de leefbaarheid en de veiligheid in het gebied na uitvoering van het UCP verder achteruit zal gaan. Want hoeveel mensen zullen zich 's avonds tussen al die betonkolossen ophouden? De kans op neutronenbom-architectuur is erg groot, de komst van een nieuw warm stadshart uiterst klein.' Maar volgens wethouder Jan van Zanen is er in de plannen wel degelijk oog voor de leefbaarheid in de binnenstad: 'Met het UCP willen we niet alleen de economische functie van Utrecht aan het spoor optimaal benutten, maar ook de sociale veiligheid in de openbare ruimte versterken. Die kun je aanpakken door goede, functionele architectuur en een afgewogen stedenbouwkundige indeling. De sociale veiligheid kun je ook verbeteren door goede afspraken te maken in de beheerssfeer. Met de Jaarbeurs, NS en Winkelbeleggingen Nederland praat de gemeente Utrecht nu over zaken als beheer, onderhoud en toezicht. De werk-, winkel- en woonomgeving binnen het UCP-gebied moet schoon, toegankelijk en sociaal veilig zijn. De UCP-partners denken dat

mede te bereiken met meer toezicht op straat. Wij zinspelen nu op een soort wijkgerichte aanpak op centrumniveau. Ook partijen als politie en justitie zijn in dat proces gesprekspartner.'
Behalve de angst voor meer onveiligheid op straat is een deel van de Utrechtse bevolking ook weinig gerust over de financiering van het UCP. Ze vinden dat er met drie miljard – de geraamde kosten van het project – te veel geld over de balk wordt gegooid. 'Dat vind ik geen goed verhaal', reageert Jan de Weerd. 'Het centrum van Utrecht is als best ontsloten gebied van Nederland het gemakkelijkst bereikbaar. Er zijn veel bedrijven die zich hier willen vestigen. Als je kantoren bouwt op zo'n prima te bereiken locatie levert dat heel veel geld op. Met het geld dat je als stad verdient kun je bijvoorbeeld woningen bouwen, Hoog Catharijne opknappen of het doortrekken van de singels financieren.' In de begroting van drie miljard bepalen de inkomsten immers hoeveel 'leuke plannen voor de stad en bewoners' uiteindelijk worden gerealiseerd.

Het Utrechtse college is in principe akkoord met het definitieve ontwerp UCP. Daarmee lijkt er geen weg terug voor de verdere modernisering van Utrecht aan het spoor. Met de eerste fase, de bouw van twee kantoren met in totaal 50.000 vierkante meter bedrijfsruimte, wordt binnenkort begonnen. Tot aan 2009 verandert de omgeving rond Hoog Catharijne opnieuw in een bouwput. De compacte stad Utrecht kan nu eenmaal nog efficiënter, functioneler en veili-

ger worden ingevuld, alle gemor in de Utrechtse samenleving ten spijt.
'Welke bestuursvorm je ook neemt', doceert Harteveld, 'een gemeenteraad of een raad van commissarissen, elk bestuur is altijd verder dan zijn leden. Als bestuur moet je visie ontwikkelen, doelen stellen en keihard werken om die te realiseren. Tegelijkertijd moet je niet het contact met je achterban verliezen. Zo nu en dan moet je omzien of de mensen je nog volgen. Maar er zal altijd een spanningsveld bestaan tussen bestuurlijke arrogantie en visionair handelen. Als die er niet is, komt er niets tot stand.'

MICHEL VERSCHOOR

DE CATACOMBEN VAN DE SINGEL: HET DOMEIN VAN STRAATBEWONERS

Onder het overdekte winkel- en bedrijvencentrum Hoog Catharijne zijn drie kantoorblokken gevestigd. Hier, aan het begin van de Catharijnesingel, woont nauwelijks iemand. Slechts twee appartementenblokken toornen hoog uit boven de kantoorcomplexen. Hun voordeur is in Hoog Catharijne of in de steegjes eronder. Dit stuk singel wordt beheerst door automobilisten, kantoren en winkels. En, het is het domein van de straatbewoners. Gejaagde druggebruikers, bedelaars, straatkrantverkopers en alcoholisten bepalen het straatbeeld.

Ingeklemd tussen kantoren en een parkeergarage bevindt zich op Catharijnesingel 25a het Inloopcentrum voor druggebruikers van Hoog Catharijne. In 1991 is het op initiatief van de Regiopolitie Utrecht, het Leger des Heils en de GG&GD opgericht omdat er voor deze groep vrijwel niets was in Utrecht. De helft van de bezoekers van het centrum is Marokkaan, Surinamer, Antilliaan en Molukker; de rest is Nederlander. Een op de tien is een vrouw. Overdag, van 12.00 tot 19.00 uur, lopen er voortdurend mensen in en uit. Na sluitingstijd zitten gebruikers op de trappen en in het portiek te wachten, te praten of te gebruiken. 's Nachts slapen er altijd wel een paar voor de deur, gehuld in een deken en beschut met karton.
De 43-jarige Sjef is een trouwe bezoeker van het Inloopcentrum. Hij behoort tot de eerste lichting

INLOOPCENTRUM CATHARIJNESINGEL

Utrechtse druggebruikers: 'Ik heb bij elkaar wel twintig jaar gebruikt. Nu hoeft het voor mij niet meer zo nodig, dat gejakker de hele dag om aan dope te komen.' Vorig jaar is Sjef orde op zaken gaan stellen. Hij woont nu in een tweekamerflatje in Nieuwegein en wat de drugs betreft beperkt hij zich tot methadon die hij wekelijks bij de methadonbus afhaalt. Maar ook de methadon bouwt hij langzaam af en wat hij overhoudt vindt gretig aftrek op de zwarte markt. 'Ik mag graag een beetje handelen, met een uitkerinkie van f 1300,- moet ik er wel bij ritselen.' Sjef bezoekt het Inloopcentrum voor de gezelligheid. 'Thuis vlieg ik tegen de muren op. Hier kom ik ouwe maten tegen waar ik een hoop mee heb beleefd, rotdingen maar ook leuke, dus dan blijf je naar mekaar toe trekken.' Binnen, in de huiskamer, zit een handjevol gebrui-

kers. Twee bezoekers spelen zwijgend een partijtje schaak. De pingpongtafel en het poolbiljart staan er verlaten bij. In een provisorische ingerichte beautysalon achter in de kamer is een vrouw met een krultang in de weer, terwijl een andere de haardos van een man knipt. 's Avonds kun je er voor vijf gulden een voedzame maaltijd krijgen, je kunt er douchen, de was doen, tweedehands kleding uitzoeken en een vuile spuit omruilen voor een schone. Achter de huiskamer zijn spreekkamers, waar een arts van de verslavingszorg op gezette tijden ook voor de onverzekerden spreekuur houdt. Ook het bureau uitkeringsbeheer komt er op vaste tijden. Een team van vaste medewerkers, ondersteund door vrijwilligers, draait de bardienst, organiseert activiteiten en bewaakt de orde. Het is zwaar werk dat maar weinig status heeft. Er is veel verloop onder het personeel. In 1997 bedroeg het ziekteverzuim maar liefst dertig procent. Door de onderbezetting en de hoge werkdruk hebben medewerkers nauwelijks tijd om met bezoekers te praten, ze door te verwijzen naar hulpverlening of activiteiten te organiseren. Onlangs heeft de gemeente een uitbreiding van de openingstijden toegezegd. Anno Sportel, coördinator van het centrum: 'Hopelijk kunnen we met die extra ruimte meer doen voor de gebruikers.'
Het blok waarvan het Inloopcentrum deel uitmaakt, moet binnenkort wijken voor de nieuwbouw van het Utrecht Centrum Project. Waar het Inloopcentrum dan naartoe gaat is nog niet bekend. De huidige locatie grenst aan een parkeergarage en is verder omringd door kantoorgebouwen, waardoor er nauwelijks spra-

ke is van buurtoverlast. Toen het centrum er net zat, was de standaardgrap dat de bezoekers na het nuttigen van een kopje koffie in de parkeergarage direct weer aan de slag konden. Maar dat viel mee, druggebruikers hebben zo hun gedragscodes en een daarvan luidt 'Als je iets uithaalt, dan doe je dat niet direct naast de deur.' Misschien is deze parkeergarage wel de veiligste plek in Utrecht om een auto te parkeren.
Het Inloopcentrum weert dak- en thuislozen die niet verslaafd zijn aan harddrugs. Voor hen is er de dagopvang Catharijnehuis waar juist druggebruikers niet welkom zijn. Gescheiden opvang moet wederzijdse negatieve beïnvloeding voorkomen. Weerloze daklozen met psychiatrische problemen komen in de verdrukking wanneer zij opvangruimte moeten delen met gehaaidere druggebruikers. Bovendien zouden ze in de voetsporen van druggebruikers kunnen treden. Ook op straat zijn de circuits gescheiden. Die kloof is er van oudsher. De traditionele daklozen zijn merendeels oudere autochtone mannen met alcoholproblemen. Overdag vind je ze vaak in elkaars gezelschap, met een biertje op een bankje in het Moreelse park of op vaste plekken in Hoog Catharijne. Ze hebben weinig respect voor harddruggebruikers. Die gaan ze uit de weg.
Toch vervaagt de laatste jaren het onderscheid tussen daklozen en druggebruikers. Steeds meer verslaafden zijn dakloos en veel daklozen worden drugsverslaafd. In beide groepen zitten mensen met psychiatrische problemen en zwakbegaafden. Door het steeds verder inperken van openbare ruimten waar daklozen en druggebruikers worden gedoogd, zijn ze vaak tot dezelfde plekken veroordeeld.

De stad Utrecht en omstreken telt ongeveer 950 harddruggebruikers (0,4% van de totale bevolking). Eén op de vijf gebruikers is vrouw. De gemiddelde leeftijd is 33 jaar. Vergeleken met vroeger zijn er de laatste jaren minder jeugdige gebruikers bijgekomen; het drugcircuit 'vergrijst'. Eenderde van de harddruggebruikers is allochtoon en een kwart is dak- en thuisloos of marginaal gehuisvest. Heroïne, cocaïne en cannabis zijn de meest gebruikte middelen, gevolgd door methadon en slaap- of kalmeringsmiddelen. Het gros gebruikt verschillende middelen door elkaar.

Bron: Ten Dam c.s. (1995), ***Pijn in het hart: Onderzoek naar aard en omvang van de harddrugsproblematiek in de stad Utrecht*****, Stichting INTRAVAL, Groningen.**

■

DE DRUGS-WINKELSTRAAT

De laatste jaren zijn gebruikers steeds vaker uit Hoog Catharijne verjaagd. De verlaten, half overdekte steegjes onder het winkelhart van Nederland vormen nu het brandpunt van de drugsscene. Deze steegjes – de Stationsstraat, de Westerstraat en de Stationsdwarsstraat – lopen vanaf de Catharijnesingel onder Hoog Catharijne door, naar de stads- en streekbussen en het treinstation. Er komt eigenlijk alleen verkeer voor de parkeergarages of de opslagloodsen. De steegjes vormen het logistieke hart van Hoog Catharijne. Vrachtwagens lossen en laden er, vorkheftrucks rijden heen en weer tussen de grote afvalcontainers. In deze

stegen drommen soms wel dertig tot veertig druggebruikers, dealers en loopjongens samen. Vooral de overdekte Stationdwarsstraat, in de volksmond beter bekend als de 'drugswinkelstraat', ademt een unheimische sfeer uit. Daglicht dringt er nauwelijks door en er hangt een doordringende urinegeur. Op de grond liggen stukken karton, kledingstukken, fietswrakken en achtergelaten winkelwagentjes. Een bank met brandgaten en een paar krakkemikkige stoelen staan verloren aan de kant. Overdag is het er een drukte van belang, vooral wanneer de dealers verschijnen is het spitsuur.
Vroeger voerden de dealers hun drugsvoorraden per trein aan vanuit Amsterdam of Rotterdam, waar de prijzen iets lager liggen. Tegenwoordig rijden dealers met hun BMW's via de Catharijnesingel de steegjes in en handelen hun zaken vanuit de auto af. De verkoop voltrekt zich zo vrijwel onzichtbaar en in alle rust. Betrekkelijk nieuw is het fenomeen GSM-dealer. Drugsklanten geven hun bestellingen telefonisch door aan zo'n dealer. Binnen een paar minuten staat de dealer – of zijn loopjongen – met de waar voor hun neus. Aan het gebruik van de mobiele telefoon kleven beroepsrisico's, omdat die als een soort peilzender werkt en zo politie en justitie in de kaart speelt. Om dit te ondervangen hebben moderne dealers behalve een mobiele telefoon ook een semafoon en een *textbuzzer* op zak, die geen signaal uitzenden. In code kunnen zo de bestellingen worden geplaatst.

Erwin is een tengere Surinamer, die al heel wat jaren meedraait in de drugsscene. Hij heeft verschillende keren geprobeerd om de drugs af te zweren. 'Vorig jaar in de bajes ben ik *cold turkey* afgekickt. Ik wou er echt vanaf blijven, maar het is moeilijk hoor. De reclassering kan alleen wat voor je regelen als je langer dan een jaar vastzit. Daar had ik niks aan want ik kreeg maar vier maanden. Dus dan sta je na een tijdje weer buiten, zonder geld of onderdak, niks. Ik ken geen andere mensen dan gebruikers. Via hen had ik binnen een paar dagen onderdak. En dan ga je je maar weer inwerken om te kijken hoe je aan geld kunt komen, want als je er een tijdje uit bent geweest is alles op straat veranderd. Zo zit je in een ommezien weer in je ouwe leven en dan ga je vanzelf weer gebruiken.'

Op sommige momenten heerst er in de Stationdwarsstraat bijna een serene sfeer. Gebruikers staan gemoedelijk in groepjes bij elkaar, wisselen nieuwtjes en wetenswaardigheden uit. De tamtam heeft een belangrijke functie. Men informeert elkaar over de prijzen van drugs, de reputatie van dealers en helers en waarschuwt voor versneden drugs en afpersers. Het laatste nieuws over het politiebeleid en tips hoe je 'stillen' kunt herkennen, worden uitgewisseld. Nieuwkomers leren zo de kneepjes van het vak, en verslaafden die een tijdje elders zijn geweest – in de gevangenis, een afkickkliniek of in een andere stad – raken zo weer bijgepraat. Elkaars verleden, het leven dat vooraf ging aan de drugscarrière, is doorgaans geen onderwerp van gesprek. Dat is te pijnlijk. Een gemoedelijke sfeer kan opeens omslaan en dan lopen de gemoederen hoog op. De precieze toedracht is vaak onduidelijk. Soms ontaardt het in een handgemeen, een enkele keer in een steekpartij.

Een veldwerker van de verslavingszorg en een sociaal verpleegkundige van de GG&GD proberen soms contacten te leggen met de druggebruikers in en om Hoog Catharijne. Ook iemand van het Landelijk Steunpunt Druggebruikers (LSD) begeeft zich bij tijd en wijle onder de gebruikers. Deze belangenvereniging van (ex-)gebruikers geeft onder andere *save-use* voorlichting: adviezen hoe zij de medische risico's van druggebruik zoveel mogelijk kunnen beperken. Het algemeen maatschappelijk werk van het Wijkteam Binnenstad schittert door afwezigheid. Een medewerker legt desgevraagd uit dat druggebruikers niet tot de specifieke doelgroepen van het algemeen maatschappelijk werk behoren. Personen met een hulpvraag kunnen zich natuurlijk altijd aanmelden tijdens de daarvoor bestemde spreekuren, maar aangezien de harde kern van de druggebruikers dat vrijwel nooit doet, concludeert het maatschappelijk werk daaruit dat ze niet gemotiveerd genoeg zijn om hulp te ontvangen.
Er bestaan vergevorderde plannen om de steegjes onder Hoog Catharijne af te sluiten. Hoge hekken moeten de doorgang belemmeren. Waar de druggebruikers dan heen moeten, is onduidelijk. Erwin: 'Dan schuiven we toch gewoon een stukkie op, naar het Moreelse park of de Mariaplaats. Wat kunnen we anders? Misschien ga ik wel terug naar Zwolle, daar heb ik jaren gezeten. Ik denk er nog maar niet te veel over na. Elke dag is er één, morgen zie ik wel verder.'
Ook de gemeente heeft nog geen afdoend antwoord op de vraag wat er straks met de druggebruikers moet gebeuren. Vooralsnog heeft ze alleen geld toegezegd

voor uitbreiding van de opvang. Dat is vooral goed voor de overlastproblematiek, maar een structurele oplossing is het natuurlijk niet. Van de mogelijkheid om de bedrijven die in het Utrechts Centrum Project investeren, te laten meebetalen aan de drugshulpverlening, is de gemeente geen voorstander.

■

BEDELAARS EN STRAATNIEUWS**VERKOPERS**

Met enige regelmaat spreekt de 24-jarige Mark voorbijgangers aan met de vraag: 'Heeft u een paar kwartjes voor mij?' Mark probeert voor het invallen van de nacht nog wat geld los te krijgen. 'Als ik goed doorvraag heb ik binnen tweeënhalf uur twintig gulden. Maar meestal doe ik steeds een beetje. Vijf piek kost me ongeveer een half uur. Dan kan ik een joint kopen of voor een vijfje weed. Maar liever ga ik gelijk door voor een tientje. Dat is wel een hoop moeite, je krijgt vaak nee te horen.' Vijf jaar geleden werd Mark uit zijn kamer gezet. Hij bivakkeerde een tijdje overal en nergens en nu is hij vaste bezoeker van een dag- en nachtopvang voor daklozen. Een kamer zoeken doet hij niet meer. Dat heeft geen zin, zegt Mark, want hij houdt het toch nooit ergens langer dan drie maanden vol. Dat heeft hij al zo lang hij zich kan herinneren. Al sinds zijn kindertijd, toen zijn moeder hem geregeld uit logeren stuurde, en daarna toen hij van het ene kindertehuis en pleeggezin naar het andere werd overgeplaatst. Mark is geen bedelaar, daar laat hij geen misverstand over bestaan. Hij vraagt op straat

geld aan voorbijgangers, maar dat noemt hij 'bietsen', 'fondsen werven' of 'sponsors zoeken'. 'Bedelen is toch echt iets anders', vindt Mark. 'Als je in Hoog Catharijne onderaan de roltrap gaat zitten met een omgekeerde pet, dát is bedelen. Maar je gaat jezelf toch niet te grabbel gooien voor die paar gulden. Je verzint een goeie smoes, je doet er wat voor. Iemand die bedelt doet er niks voor, dat is het verschil.'
Over wat nu precies de meest lucratieve bedeltechniek is en de beste plek om te staan, verschillen de meningen. Mark werft zijn fondsen bij voorkeur in en rondom Hoog Catharijne, tijdens de spitsuren als de forensenstroom het grootst is. De 22-jarige Peter, Marks maat voor zolang het duurt ('op straat heb je geen vrienden'), denkt daar anders over: 'Op Hoog Catharijne is de markt verpest. Het is daar bijna tol heffen. In de binnenstad is het het beste.' Ook over de vraag hoe je een verzoek om geld het beste kunt inkleden, denken ze verschillend. Mark: 'Je moet het netjes vragen, gewoon uitleggen: "Meneer of mevrouw, moet u luisteren, ik slaap in de Sleep-In en ik ben dakloos. Het kost f 7,50 en ik heb maar f 5,-. Hebt u een paar kwartjes voor me?' Peter heeft juist goede ervaringen met het inspelen op het gemoed. Hij zegt bijvoorbeeld: 'Heeft u voor mij een paar kwartjes om mijn moeder te bellen.' Of: 'Ik heb vandaag nog niet gegeten.'

Sinds een paar jaar vormt de verkoop van straatkranten een nieuwe bron van inkomsten. Bij de roltrappen die het winkelend publiek naar Hoog Catharijne leiden, bevindt zich een – officieel goedgekeurd –

verkooppunt voor straatkranten. Vrijwel elke dag staan verkopers er hun waar aan te prijzen: '*Straatnieuws*, de daklozenkrant, de nieuwe editie is uit.' Dak- en thuislozen kopen de kranten voor een gulden per stuk bij een distributiepunt om ze vervolgens voor twee gulden op straat te verkopen. De winst mogen ze houden om van te leven of om nieuwe kranten voor te kopen. Verkopers die blut zijn, krijgen 's morgens op de pof een paar kranten mee, die ze later terugbetalen. De straatkrantverkopers zijn inmiddels niet meer weg te denken uit het straatbeeld van de grote steden. Maar de bakermat lag in het Utrechtse Catharijnehuis, een dagopvang voor dak- en thuislozen. Vrijwilligers van die opvang maakten in 1993 de eerste straatkrant als eenmalig kerstnummer. Wegens groot succes en op aandringen van enthousiaste daklozen werd besloten de krant regelmatig uit te brengen. In de beginfase kreeg het project geld van fondsen en kerken, het NIZW bood facilitaire ondersteuning.
In die begintijd braken soms letterlijk gevechten uit om een favoriete verkoopplaats. Gehaaide daklozen verdreven de zwakkere broeders. Tegenwoordig krijgen verkopers maandelijks een vaste stek toegewezen; de populaire verkoopplekken worden verloot of bij toerbeurt verdeeld. Daarmee heeft ook de administratieve rompslomp zijn intrede gedaan in het leven van de verkopers. Elke verkoper is nu geregistreerd en verplicht een legitimatiebewijs van *Straatnieuws* bij zich te dragen.
Deze maand staat Kees bij de roltrappen die naar Hoog Catharijne leiden. 'Ik verkoop al een jaar krantjes. Eerst vond ik 't maar niks, want je staat zo te

kijk. Maar nu vind ik het toch wel goed zo. Ik hoef niet meer de hele dag te sjaggeren om aan geld te komen.' Kees is een gedrongen vijftiger met een Amsterdams accent. Toen de rederij waar hij twintig jaar als scheepskok werkte, failliet ging en hij aan wal niet kon aarden, ging het mis. 'Ik zou het liefst weer op de grote vaart zitten, maar wie wil een man van mijn leeftijd als er veel goedkopere Filippino's staan te dringen.' Kees staat voor het eerst op deze plek. 'Vorige maand stond ik in Zuilen. Veel verkopers vinden dat te ver weg, maar ik sta er graag. Hele relaxte mensen daar. Voor hun is zo'n krantje nog nieuw, dus ze vinden 't wel interessant. Ik krijg vaak zomaar een paar piekies: 'Hier pak an jochie, dan heb ie ook wat.' Of ze vragen of ik hun winkelkarretje terug wil brengen, de gulden mag ik dan houden. Als het regent zoals vandaag, verkoop ik minder maar ik krijg wel meer fooien. Dus dat blijft gelijk en het voordeel is dat ik dan niet steeds nieuwe krantjes hoef bij te halen. Van het geld dat ik verdien, koop ik een broodje, een paar biertjes en van de rest nieuwe krantjes. Ik ga soms wel drie, vier keer per dag terug om nieuwe te halen. Ik ben d'r wel blij mee hoor. Eerst kwam ik ook wel aan m'n geld, maar op een minder nette manier zogezegd.'

■

BUITENSLAPERS EN PROSTITUEES

Op Catharijnesingel 47 is het Nederlands Instituut voor Zorg en Welzijn gevestigd. Receptioniste Tiny de

Hoog kijkt vanachter haar balie uit op de straat. 'Ik heb er wel eens eentje betrapt die een fiets aan het stelen was. Dat ging razendsnel, hij rommelde wat aan het slot en reed ermee weg. Ik ben er pardoes achteraan gegaan om die fiets terug te eisen, en ik kreeg 'm nog ook. Maar tegenwoordig laat ik het maar gaan of ik roep er iemand bij, je moet tenslotte aan je eigen veiligheid denken. Soms melden daklozen en druggebruikers zich bij mij met een hulpvraag. Er staat hier zo mooi op het bord 'Instituut voor Zorg en Welzijn', dus geef ze eens ongelijk. Ik heb hier eens een vrouw gehad, een alcoholiste met zo'n kegel. Die kwam op hoge poten binnen: ze wilde een maatschappelijk werker spreken. Toen ik zei dat we die hier niet hadden, wilde ze me over de balie trekken. Gelukkig ging ze even later uit zichzelf weer weg. Ze slapen hier ook wel in het portiek, maar de laatste tijd merk ik daar minder van omdat de bewakingsdienst ze 's morgens komt wakker maken. Hierachter op de parkeerplaats hebben we ook eens iets raars meegemaakt. Jan van Dopperen, de conciërge, komt op een ochtend naar me toe. Lijkbleek. Hij zegt: "Er ligt zo'n drugsverslaafde in de container achter, volgens mij is 'ie dood." Wij heen en weer praten, wat we nou toch moesten doen. Uiteindelijk is Jan teruggegaan en toen hij de klep van de container opendeed, zag hij die man met z'n ogen knipperen. Hij had gewoon in die container liggen slapen.'
Geschikte slaapplaatsen zijn schaars rondom de Catharijnesingel. Veel oude slaapplaatsen zijn de laatste jaren afgesloten, dichtgetimmerd of op andere wijze ontoegankelijk gemaakt. Slapen in Hoog Catharijne is

verboden, met uitzondering van een daartoe aangewezen gedoogplek bij de roltrappen naast Vroom & Dreesmann en vlakbij het kantoor van de beveiligingsdienst. Er is voor hooguit vijftien personen plaats.
Onder de statige oude bomen van het Moreelse park, even voorbij Hoog Catharijne, slapen ook wel daklozen. Het park is 's avonds en 's nachts het werkterrein van enkele verslaafde prostituees en allochtone jongens die homoprostitutie bedrijven. Rondslingerende condooms onder het bladerdak van een omgevallen boom zijn de stille getuigen.
Werkelijk tot leven komt het Moreelse park wanneer het mobiele theaterfestival De Parade er 's zomers neerstrijkt. Tien dagen lang bruist het dan van activiteiten. Voor sommige daklozen is De Parade een plezierig verzetje, net als de vrijmarkt op Koninginnedag en ander stedelijk vermaak in de openlucht. Ze gaan dan op in de massa, die er tijdelijk eenzelfde levensstijl op na houdt: met anderen in het openbaar drinken, aangeschoten en luidruchtig 'niets doen'. Janneke, een vrouw met een rauwe stem die al een jaar of tien 'langs de weg loopt', beaamt dat: 'Met Koninginnedag heb ik twee kratjes bier verdiend door een paar dagen van tevoren een plaats bezet te houden voor een kraamhouder. Straks krijg je weer de Bluesroute, de Parade en het Festival aan de Werf. Dan staan er kramen buiten waar je bier kunt kopen. Dat is mijn tijd.'

Lia van Doorn

DE VERDWIJNING VAN HET MEDISCH DORP AAN DE SINGEL

Het werkt vervreemdend om de zorg voor zieken in een gebouw aan de rand van de stad te stoppen', zegt Hanneke Hillmann, directeur van het Landelijk Centrum Verpleging en Verzorging. Maar de gemeente is er juist blij mee: 'Die topklinische functie had vanwege de ruimte en de bereikbaarheid niet op de oude plek gekund', vindt Leo Kliphuis van de GG&GD Utrecht.

In 1989 verhuisde het Academisch Ziekenhuis Utrecht – zoals zo veel ziekenhuizen met moderniseringsplannen in die tijd – van de binnenstad, om precies te zijn de Catharijnesingel, naar het Universiteitscentrum De Uithof vlak buiten de stad. Het groeide daar uit tot een specialistisch centrum dat hoog staat aangeschreven. De medische zorg is gegarandeerd, maar hoe toegankelijk is het nieuwe AZU nog? En hoe staat het met de infrastructuur van de zorg in Utrecht?

Hoog Bouwland, maar dan op z'n oudhollands: Hooch Boulandt. Zo heet het gebied tussen de Catharijnesingel, het spoor en de Nicolaas Beetsstraat. Het was inderdaad bouwland, zo rond het jaar 1600. Vruchtbare rivierklei, uitermate geschikt om groenten en fruit op te verbouwen. Maar evengoed zou die naam kunnen herinneren aan de niet aflatende bouwactiviteit op het terrein. Die begon in 1868 toen het Acade-

misch Ziekenhuis er werd gebouwd, en hield pas op in 1997, toen het laatste huizenblok werd opgeleverd. Wanneer je de tussenliggende tijd als een versnelde film afdraait, zie je de geschiedenis van veel ziekenhuizen: een hoofdgebouw wordt neergezet, gevolgd door steeds meer paviljoens en aan- en uit- en opbouwtjes. Geen hoekje blijft onbenut. In de zomer van 1989 is er opeens een grote verkeersdrukte. Vrachtauto's en ambulances rijden af en aan. Het AZU verhuist naar het Universiteitscentrum De Uithof aan de rand van de stad. Vervolgens lijkt het alsof de film

wordt teruggespoeld. De AZU-gebouwen op Hooch Boulandt verdwijnen stuk voor stuk. Alleen de allerоudste mogen blijven: Gebouw I (het oorspronkelijke stadsziekenhuis), Gebouw III (Rijkskliniek Neurologie) en het Zusterhuis, maar ze hebben wel een andere functie gekregen. Appartementen zijn het nu, bewoond door jonge, welgestelde een- en tweepersoonshuishoudens.

WONEN EN WERKEN AAN DE SINGEL: 'DE KONINGIN KAN HET NIET BETER HEBBEN'

'Tot 1973 was ik in betrekking bij het AZU, de Rijksklinieken heette het vroeger. Een enige baan. 's Ochtends om tien voor zeven gooide ik de deuren van mijn zaal open en dan stroomden de mensen binnen. Ze kwamen van overal uit het land, want hier had je het beste van het beste. Ik vroeg dan: "Waar komt u voor?" en gaf ze een nummertje. En dan begon het lange wachten. In die tijd kon het je wel een dag kosten als je voor onderzoek naar het ziekenhuis moest, al helemaal als je van buiten kwam. Tegenwoordig spreek je een tijdstip af, maar in die tijd zei de dokter: "Komt u maar op woensdagmiddag." Dat waren andere tijden, nu moet alles in een vloek en een zucht. Die piepers, wat een toestand.'

Elke dag, rond het middaguur, daalt de 89-jarige juffrouw Pasman achterstevoren de steile trap van haar bovenwoning af. Stapje voor stapje schuifelt het kleine, grijze vrouwtje met haar wandelstok de singel af. Ze is niet meer zo goed ter been, ziet slecht en moet zich tot het uiterste concentreren om de stoep onder haar voeten onder controle te houden. Soms staat ze even stil, leunt op haar wandelstok en kijkt voor zich uit om zich ervan te vergewissen hoe ver ze nog moet. Een enkele keer klampt ze een toevallige voorbijganger aan: of die even wil helpen oversteken. Al met al een hele onderneming die haar steeds weer langs haar vroegere werkplek leidt: het oude AZU. Het paviljoen waar juffrouw Pasman als zaalwacht de scepter zwaaide, lag schuin tegenover het huis dat ze nu al dertig jaar van de gemeente huurt en sinds jaar en dag deelt met zorgvuldig gekozen meisjesstudenten. Het is het laatste huurhuis van dat blokje Catharijnesingel, de enige woning ook zonder douche. Met de renovatie van tien jaar terug kon ze een douche krijgen, maar dat betekende ook veertig gulden meer huur per maand. "Doet u dat

■

STADSZIEKENHUIS

Het AZU aan de Catharijnesingel was naast academisch ziekenhuis ook een echt binnenstadsziekenhuis. Door de verhuizing naar De Uithof is die functie verminderd. Pieter van Dijk, sinds 1976 als verpleegkundige werkzaam bij de eerste hulp van het AZU: 'In het oude AZU kreeg je allerlei problemen uit de binnenstad. Slachtoffers van vechtpartijen, mensen met steekwonden, dronken lui die ergens tegenaan gereden waren, typische stadsongevallen. Die kwamen vroeger heel vanzelfsprekend naar het AZU, lopend als ze dat nog konden. Dat kleine binnenstadsgebeuren komt nu niet verder dan het Diakonessenziekenhuis, dat nog wel in de stad ligt. In het oude AZU kwamen ook regelmatig zwervers, die op allerlei manieren gebruikmaakten van het ziekenhuis. Vanuit de optiek van die mensen is dat te begrijpen. Het ziekenhuis is 24 uur per dag open en het is er lekker warm. Ze simuleerden een ongeval, of ze hadden een beetje last van hun knie of slechte enkels, wat ze dan vervolgens flink overdreven om maar in het ziekenhuis te kunnen blijven. Maar iedere hulpvraag werd serieus genomen.'
Dat geldt overigens ook voor het nieuwe AZU, zegt Pieter van Dijk: 'Niemand wordt weggestuurd als ze bij ons op de Eerste Hulp komen. Iedereen heeft recht op medische hulp. Maar die hulp staat de laatste tijd om budgettaire redenen wel onder druk. We proberen de mensen op te voeden door ze te vertellen dat ze eerst langs hun huisarts moeten gaan. Maar ze vinden

maar niet", zei ze daarop. "Mijn hele leven heb ik zonder douche gedaan, ik heb me altijd aan de kraan gewassen en ik ben nog steeds schoon. Als er een douche komt, gaan die van beneden almaar douchen. Wie houdt dat schoon? Ik, want aan de gang en de buitenboel doen ze ook niks. En, stel nu dat ik eens per week zelf ga douchen, dan kost me dat een tientje per keer. Dus, doet u mij maar geen douche en laat de huur zoals die is." Juffrouw Pasman is met weinig tevreden. Afkomstig uit een gezin met zeven kinderen waar iedereen zijn steentje moest bijdragen, is ze niet anders gewend. Breed hadden ze het niet bij haar thuis, met haar zusjes en broertjes deelde ze niet alleen de hoepel maar ook de cape. We hebben het dan over het begin van deze eeuw, een eeuw vol veranderingen. 'Ik heb het gas zien komen, licht, elektriciteit. Voor twee cent per week kwam de klopper mijn vader in alle vroegte wekken. Uitkeringen had je niet, hooguit wat liefdadigheid van de kerk. Ziek zijn bestond niet. Voelde je je eens niet lekker, dan zei mijn moeder: "Ga maar even onder de koudwaterkraan staan" en dat hielp altijd.'

In betrekking

Met weemoed kijkt juffrouw Pasman terug op de twintig jaren dat ze bij het AZU 'in betrekking' was. 'Een enige baan met veel saamhorigheid, waar vind je zoiets nu nog?', verzucht ze herhaaldelijk. 'In die tijd had je nog klassenverschil. De heren kregen *De Telegraaf* op een presenteerblaadje aangereikt en het personeel kon dagelijks gratis soep in de keuken halen. Weet u dat we in die tijd lepeltjes moesten tellen omdat die altijd kwijtraakten.' Met zichtbaar genoegen schetst ze een gemoedelijk beeld van 'haar' dokters en 'haar' patiënten die eensgezind op 'haar' zaal een sigaretje rookten of een babbeltje maakten om de tijd te doden. Ze had een band met ze. Sommige patiënten brachten bloemen voor haar mee en er was er eentje die met zelfgeschoten wild kwam aanzetten. Over de dokters zou ze heel wat pikante verhalen kunnen vertellen, maar dat doet ze niet. 'Ik weet wanneer ik mijn mond moet houden', zegt ze terwijl ze met een draaibeweging van haar hand haar mond als het ware op slot doet. Over de dokter die op een nacht samen met zijn minnares voor haar huis de sin-

het – ook vanwege de 24-uursbeschikbaarheid – vaak gemakkelijker om meteen naar het ziekenhuis te gaan.'

■

KONINKRIJKJES VAN SPECIALISTEN

Het oude AZU was sfeervol door de vele oude gebouwen en de bedrijvigheid eromheen. Het had iets van een dorpje in de stad. Maar het was in vele opzichten sterk verouderd. De paviljoenstructuur was inefficiënt. De paviljoens fungeerden als kleine ziekenhuisjes op zichzelf, met één specialisme per gebouw. Aanvankelijk had dat voordelen, omdat patiënten geïsoleerd konden worden, en omdat aanpassingen vrij makkelijk aan te brengen waren door aanbouwtjes te maken. Als er een specialisme bijkwam, was er ergens op het terrein wel een plekje te vinden voor een nieuw paviljoen. Door de snelle ontwikkelingen in de geneeskunde raakte deze bouwvorm echter uit de tijd. Steeds vaker was meer dan een specialist betrokken bij een patiënt, en doordat de apparatuur ingewikkelder en duurder werd, was het niet meer verantwoord dat elk paviljoen zijn eigen voorzieningen had. Het paviljoensysteem zou daarom vervangen moeten worden door blokbouw, waarin een functioneel en bouwkundig onderscheid werd gemaakt in beddenhuis, behandelhuis en polikliniek. In een overkapte ruimte tussen de afzonderlijke blokken konden allerlei sociale functies gerealiseerd worden, zoals winkels, een kapper en restaurants.

gel inreed, wil ze dan ook niet meer kwijt dan dat ze de vrouw in kwestie droog ondergoed leende.

Wie voor onderzoek naar het ziekenhuis was doorverwezen, vond vaak juffrouw Pasman aan de poort. Voor tot zaken werd overgegaan, kreeg de nieuwkomer steevast een collectebus van het Rode Kruis onder zijn neus geduwd. Was die hobbel genomen, dan begon juffrouw Pasman haar 'intake'. 'Ik reikte nummers uit voor kanker, huidziekten, oor-, neus- en keelkwalen en voor de hartafdeling. Mijn zaal was heel groot maar we hadden maar twee wc's: een urinoir voor de mannen en een toilet voor de dames. Ik moest ervoor zorgen dat die schoon waren. Altijd en eeuwig werd het toiletpapier gejat. Ik kon het niet aangesleept krijgen. Bijna dagelijks moest de loodgieter komen om het damestoilet te ontstoppen van het vele maandverband dat erin gegooid werd. En, ik zie nog voor me hoe de mannen die net een klysma hadden gekregen, trappelend met hun knieën tegen elkaar gedrukt voor het urinoir op hun beurt stonden te wachten', gniffelt juffrouw Pasman ondeugend.

Ze herinnert zich hoe het AZU steeds meer nieuwe specialismen kreeg en het terrein

'Dat was een cultuuromslag', vertelt Theo Harteveld. Hij was in de jaren zestig, ten tijde van de planvorming voor het nieuwe AZU, wethouder Ruimtelijke Ordening , en later lid van de Raad van Bestuur van het ziekenhuis. 'Het AZU was een verbrokkeld geheel van afzonderlijke klinieken waar de hoogleraren allemaal hun eigen koninkrijkjes hadden, die driekwart van de tijd leeg stonden. Het nieuwe ziekenhuis zou een geconcentreerd complex moeten worden waar hoogleraren niet langer over een eigen operatiekamer beschikten, maar voor een operatie een plaats moesten bespreken.'
Dat er een nieuw ziekenhuis moest komen was dus duidelijk. De vraag was alleen nog: waar? Op het oude terrein of bij het universiteitscentrum De Uithof, aan de oostrand van de stad? Harteveld: ' Beide opties zijn serieus overwogen. Het ging er niet alleen om welke optie het goedkoopst was, maar ook wat het beste was. Bij renovatie van een ziekenhuis komt bijvoorbeeld zo veel stof vrij en wordt zoveel herrie gemaakt, dat het niet altijd verantwoord is er patiënten te verzorgen. De dienst stadsontwikkeling heeft zelfs nog een vergelijkend onderzoek gedaan. Zij hebben toen geadviseerd om nieuw te bouwen op De Uithof.'

■

UNIEK IN EUROPA

'We zijn er blij mee', zegt Leo Kliphuis, adjunct-directeur van de GG&GD over de verhuizing van het AZU naar De Uithof. 'Als GG&GD hebben wij vanuit de langzaam maar zeker werd volgebouwd. Er kwamen ook nieuwe 'klanten': de eerste generatie migranten uit Zuid-Europa en Noord-Afrika meldde zich aan haar balie. 'Dat was me wat. Die spraken geen Nederlands en voor een tolk hadden ze geen geld. Ik moest ze dan vragen wat ze mankeerden en dat deed ik met gebaren.' Om haar woorden kracht bij te zetten, wijst ze met haar hand allerlei lichaamsdelen aan. Als ze op haar geslacht wijst, kijkt ze weg en mompelt: 'Venerische ziekten waren dat vaak.'

In tegenstelling tot de andere singelbewoners had juffrouw Pasman door haar werk wel contact met de bewoners van de steegjes, zelfs na haar pensioen in 1974. Samen vierden ze in het AZU sinterklaas en Kerstmis en ze ontmoetten elkaar op kaartavonden. Toen de steegjes begin jaren tachtig gesloopt werden en de oorspronkelijke bewoners naar andere wijken trokken, verwaterde het contact. Maar eenzaamheid of verveling kent juffrouw Pasman niet, haar buren aan de singel hebben zich over haar ontfermd. Als de nood aan de man komt, werpen die zich op als mantelzorgers, doen een klusje en organiseren een uitje. Juffrouw Pasman voelt zich een tevreden mens: 'Ik heb buren uit miljoenen. Zonder hen had ik hier nooit meer kunnen wonen. Ik houd zo van mijn huis, de singel en de mensen hier. Die warmte, die sfeer, dat kun je niet kopen. De koningin kan het niet beter hebben.'

Joanka Prakken

zorginvalshoek een mening over de locatie van ziekenhuizen. Wij willen dat er goede toegang tot de zorg is, een goede spreiding en dat de zorg aansluit bij de vraag. Daarnaast bekijken we het natuurlijk ook vanuit een ruimtelijke invalshoek: waar wil je bedrijvigheid hebben, hoe zit het met de bereikbaarheid? En niet te vergeten vanuit het oogpunt van werkgelegenheid. Het AZU is naast de Jaarbeurs de grootste werkgever in Utrecht. Er werken ongeveer 7000 mensen.'
De Uithof biedt het AZU veel meer mogelijkheden dan de beperkte ruimte aan de Catharijnesingel, vindt Kliphuis. 'De woonfunctie past vele malen beter aan de Catharijnesingel dan het dat rommelige, versnipperde vroegere AZU. Als het daar nog steeds had gezeten, en je realiseert je wat er straks rond het Utrecht Centrum Project gaat gebeuren – de belasting van de Catharijnebaan, de toenemende verkeersdrukte – dan zou het ziekenhuis nog een veel groter bereikbaarheidsprobleem hebben gekregen. Bovendien was het oude AZU-terrein te klein geweest voor nieuwbouw. Het AZU is ook niet zozeer een stadsziekenhuis maar vooral een topklinisch centrum. Op De Uithof kunnen allerlei interessante combinaties en nieuwe functies gecreëerd worden. Het Militair Hospitaal en het Wilhelmina Kinderziekenhuis zijn er nu bijgekomen, er is een calamiteitenhospitaal gebouwd, en de EHBO wordt uitgebouwd tot traumacentrum, waarvoor ook een aanvliegroute voor helikopters nodig is. Zo'n ziekenhuis is eigenlijk altijd in beweging. Op De Uithof kunnen ze naar hartelust bouwen. Wat daar aan functionaliteit is neergezet en nog wordt, is uniek in Europa.'

Minder enthousiast over de verdwijning van het AZU uit de binnenstad is Hanneke Hillmann, verpleegkundige – 'ik ben in 1957 begonnen als verpleegkundige, ik loop al veertig jaar mee' – en directeur van het Landelijk Centrum Verpleging en Verzorging. Vroeger was ze onder meer directeur patiëntenzorg van het Amsterdams Medisch Centrum (AMC); de fusie en de verhuizing van het Binnengasthuis en het Wilhelmina Gasthuis naar het AMC in Amsterdam Zuid-Oost heeft ze meegemaakt. 'Ik hou van ziekenhuizen in de stad, daar waar de mensen zijn. In Groningen hebben ze het academisch ziekenhuis op dezelfde plek herbouwd, in de binnenstad. Dat geeft een gemêleerd beeld. Je kunt natuurlijk aanvoeren dat het nu efficiënter en meer high tech is en dat de Eerste Hulp van het nieuwe AZU makkelijker bereikbaar is voor de ambulances. Maar als je het bekijkt vanuit het oogpunt van zorg, dan is het vervreemdend om de zorg voor zieken in zo'n gebouw aan de rand van de stad te stoppen. Het is net zo'n gebouw als de KPMG of Interpay of wat voor gebouw dan ook. Zorg is iets dat dicht bij de mensen hoort en goed herkenbaar moet zijn. Nu het ziekenhuis aan de rand van de stad staat, heeft het geen enkele connectie meer met het gewone leven. Het is weer een gesloten gemeenschap geworden, terwijl juist de laatste vijftien jaar dat gesloten karakter van ziekenhuizen minder werd. Als je eenmaal binnen bent in het AZU, dan vind je je weg wel en is het ook aangenaam, zowel voor de patiënten en het bezoek als voor het personeel. Maar of het zo bereikbaar is, dat is zeer de vraag. Het overgrote deel van wat er in het ziekenhuis komt, bestaat toch uit mensen die gewoon met de bus komen. En voordat je daar uit de bus gewaaid en binnen bent...'

Hoeveel functioneler en efficiënter het nieuwe AZU ook mag zijn, vele medewerkers van het AZU praten met nostalgie over het oude gebouw. Erik de Meij werkt sinds 1987 als transportmedewerker bij het AZU. 'Het oude AZU was veel gezelliger. Het had sfeer door die oude gebouwen. Ik werkte buiten. Ik moest van alles van en naar de gebouwen vervoeren: afval, schoon en vuil wasgoed, karren met eten. Krap was het allemaal wel, je leerde sturen op de centimeter. Als je niet op tijd naar rechts draaide, reed je zo het ziekenhuiswinkeltje van Huffels binnen. Bij de ingang stond op een bordje dat de gele wagens voorrang hadden, maar dat lazen de meeste mensen niet. Wij námen dus gewoon voorrang, en dat ging natuurlijk wel eens mis. Alleen blikschade hoor. Je moest ook uitkijken voor de kippen en hanen. Ik weet niet hoe die daar terechtkwamen, volgens mij werden ze gewoon gedumpt door mensen die ze kwijt wilden. Een collega van mij nam er af en toe een mee naar huis. Om te braden. En dan had je nog die zwerfkatten. Die werden gevoerd door tante Lies die bij de schoonmaak werkte. Ja, we hadden echt meer lol daar op het terrein.'

■

ZIEKENHUIS VAN DE 21E EEUW

De gemeente mag dan trots zijn op haar 'hoogspecialistisch' AZU, dat 'topklinisch centrum' met een lan-

'HET IS ALLEMAAL NOSTALGIE'

Ze is verknocht aan 'het Singeltje' en was vergroeid met het oude AZU. Ruim dertig jaar was ze huisarts aan de Catharijnesingel. Het marmeren bord hangt er nog steeds: D. van den Heuvel-Blokland, arts. En nog altijd komen er oud-patiënten langs voor advies, of voor een praatje. Ze woont op de eerste verdieping, beneden is de praktijkruimte, nog altijd intact. De tafel ligt vol met brieven, een dikke agenda, uitnodigingen, pakjes sigaretten en een telefoon. Veel boeken, veel foto's, kasten met veel spullen in de hoge kamer-en-suite.

'Toen ik 65 werd, hebben ze me uitgeschreven. Ik heb wel tegen de patiënten gezegd dat ze een andere huisarts moesten zoeken, maar ze bleven gewoon komen. Ik stuurde geen rekeningen meer. Op mijn zeventigste ben ik er echt mee opgehouden, maar de praktijkruimte heb ik zo gelaten. Af en toe komt er nog iemand, en dan kan ik die rustig beneden ontvangen. Door die praktijk is mijn kennissenkring zo groot. Maar de laatste tijd merk ik steeds vaker dat de mensen mij wel kennen, terwijl ik dan moet vragen: vertel eens, wie ben je ook alweer? Ik herken ze niet meer zo goed.

Je wordt oud, dat merk je. Je komt aan de zijkant van het leven te staan. Ik mis mijn werk toch zo verschrikkelijk, ik ben met zo veel plezier huisarts geweest. Eerst samen met mijn man. Na zijn dood heb ik de praktijk alleen gedaan.

Mijn man is in het oude AZU overleden. Veel te jong. We waren twaalf jaar getrouwd. Erg hoor. En ik ga hem nu pas missen, want ik werkte altijd, ik had geen tijd om hem te missen. Ik vind het nu zo spijtig dat ik hem nooit meer zal zien. Gek hè. Daarom komen de patiënten wier man of vrouw overleden is hier vaak 's middags op bezoek. Dan vragen ze: "Mogen we nog even een praatje komen maken?"

Ik geloof dat je als arts voor 99 procent maatschappelijk bezig bent, en misschien voor één procent medisch. Wie zal het

delijke functie en 1037 bedden, maar hoe zit intussen met de zorg in de stad Utrecht? Kliphuis van de GG&GD: 'Het mag allemaal wel wat maatschappelijker. Er is in Utrecht behoefte aan laagdrempelige zorgvoorzieningen, tussen ziekenhuis en thuis in. Het nieuwe stadsdeel Leidsche Rijn biedt ons de mogelijkheid om vernieuwingen in de zorg van de grond af op te zetten, los van de traditionele grenzen in de zorg.'
In Leidsche Rijn komt, als het ministerie van VWS de plannen goedkeurt, in ieder geval een ziekenhuis. Dat ziekenhuis komt in plaats van de ziekenhuizen Overvecht en Oudenrijn. Die twee zijn, met nog een verpleeghuis, gefuseerd tot Mesos Medisch Centrum. Kliphuis: 'Voor Mesos is het interessant om in Leidsche Rijn iets nieuws te beginnen. De exploitatiekosten voor een nieuw ziekenhuis zijn waarschijnlijk minder dan voor het instandhouden van twee aparte ziekenhuizen. Het is dus deels overlevingsdrang om te fuseren en samen iets nieuws te bouwen in Leidsche Rijn. Bedreigingen worden zo omgezet in kansen. Een belangrijk argument is dat de beddennorm wordt teruggeschroefd van drie naar twee bedden per duizend inwoners.'
Er komen minder ziekenhuisbedden, dus moet de zorg op een andere manier georganiseerd worden. Kliphuis: 'Dat concept noemen ze het ziekenhuis van de 21e eeuw. In dat concept vergroeien de eerstelijnsgezondheidszorg en de tweede lijn met elkaar. Dat betekent dat huisartsen straks bedden in ziekenhuizen ter beschikking hebben, maar ook dat specialisten buiten het ziekenhuis diensten draaien.' De gemeente Utrecht heeft al een bepaald beeld bij zo'n ziekenhuis

zeggen. Die maatschappelijke kant heeft me het meeste geboeid, maar ik wilde natuurlijk ook wel weten wat ze hadden.'

Na de oorlog ben ik begonnen. In 1951 studeerde ik af. Een jaar later ben ik getrouwd. Ik had het halve land afgezocht om een praktijk te vinden, want ze wilden me als vrouw niet hebben. Mijn man was toen nog niet klaar met zijn studie. Ik deed allerlei klusjes en dienstjes. Ik ging bijvoorbeeld verpleegsters keuren in het oude homeopathische ziekenhuis. Na een jaar hoorde ik dat de huisarts hier aan de Catharijnesingel van plan was zijn praktijk te verkopen. Ik erop af, maar hij zei direct tegen me: "Ik wil geen vrouw." Maar toen ik vertelde dat mijn man eerdaags klaar zou zijn met de studie, veranderde er iets. Ik mocht bij hem komen werken als assistente. Ik dacht bij mezelf: als ik er eenmaal zit, krijg ik die praktijk wel. En zo is het ook gegaan. Ik kwam, zag en overwon. Later zei die huisarts: "Ze is helemaal geaccepteerd door de patiënten. Ze houdt van die kleine loeders, en dan heb je vanzelf de moeders."

Lelijke Eend

'Het oude AZU hier op de singel was een heerlijk ziekenhuis. Het hoorde bij mij en ik hoorde bij het AZU. Ik was er helemaal mee vergroeid. Ik had daar natuurlijk gestudeerd en ik heb altijd contact gehouden. Mijn oude leermeesters belden me

van de 21e eeuw. Kliphuis: 'We denken niet aan een klassiek ziekenhuis, meer aan een stadsziekenhuis zonder allerlei topklinische functies maar met bijvoorbeeld wel een gezondheidscentrum waar specialisten spreekuur houden. Zo'n ziekenhuis moet dus niet een gebouw zijn waar je helemaal met de auto naartoe moet, eigenlijk moet het wat van dat romantische van het oude AZU hebben. Met de markt naast de deur, dan begrijpt iedereen waar je het over hebt. Als er hoogwaardige specialistische zorg nodig is, moet iemand gewoon naar het AZU overgebracht worden. Je zou bij zo'n ziekenhuis ook een aparte unit kunnen bouwen, een wijkziekenboeg, bijvoorbeeld voor oma die griep heeft maar niet over voldoende mantelzorg beschikt, of voor een geriatrisch patiënt die even niet thuis verzorgd kan worden. Zo'n wijkziekenboeg is ook geschikt voor mensen die na een ziekenhuisopname eigenlijk nog niet naar huis kunnen. Het is ook voorstelbaar dat je geen specialisten hebt op zo'n ziekenboeg, maar dat het door huisartsen gerund wordt. Dat lijkt op het Engelse model, het cottage hospital, waar je als huisarts een aantal ziekenhuisbedden inkoopt. Zo'n plan heeft alles te maken met het goed regelen van de voor- en achterdeur van het ziekenhuis: met de huisartsen aan de ene kant en de thuiszorg en verpleeghuizen aan de andere kant.'
Mesos wil een ziekenhuis bouwen, en de stichting Geïntegreerde Eerstelijnszorg Leidsche Rijn heeft een wijkziekenboeg in haar plannen staan, of, zoals zij het noemen, een low-care-beddenvoorziening. Maar de gemeente ziet het liefst dat in Leidsche Rijn één zorgorganisatie komt. Kliphuis: 'Wij willen graag dat het

vaak op, Nuboer, De Lange, die kende ik allemaal persoonlijk, ik liep zo bij ze naar binnen.

Ik had een keer een studente, die stuurde ik naar Verbiest toe, die de hersenoperaties deed. Ik zei tegen hem: "Moet je eens horen, dat kind heeft zoiets geks, volgens mij heeft ze een hersentumor." "Ja hoor, dat zal wel", hoorde ik hem aan de andere kant van de lijn brommen. Omdat ik er niks meer van gehoord had, dacht ik dat ik me wel vergist zou hebben. De volgende dag liep ik er toch even binnen. Was ze al geopereerd. Had ze inderdaad een hersentumor. Tegen Verbiest heb ik toen gezegd: "Je moet me nog eens wat flikken. Me aan de telefoon zo voor gek zetten."

Iedere week kwam ik wel een paar keer in het AZU. Dan liep ik met een patiënt even naar een specialist. Van tevoren had ik dan gebeld. Dat ging heel gemakkelijk. Mensen hoefden niet weken van te voren een afspraak te maken. Als er patiënten van me lagen ging ik ook altijd even op ziekenbezoek. Dat was het leukste, dat ik er gewoon kon binnenlopen. Het was zo'n gezellige troep.

In de koudste nacht van januari 1963, 18 januari was het, had ik een bevalling. Het was in Tuindorp bij een studentenechtpaar. Ik ging naar mijn auto toe, maar ik kreeg hem niet van het slot. Bevroren. Ik dacht, wat moet ik nou doen? Die bevalling drong, ik moest daar heen. Toen ben ik naar het AZU gegaan, naar een van de artsen die daar dienst had. Ik vroeg: "Wat heb jij voor een auto?" Hij zei: "Een Lelijke Eend." "Mooi", zei ik, "dan kun jij me wel even naar Tuindorp rijden." Ik was expres naar de afdeling gynaecologie en verloskunde van professor Plate gegaan, want ik dacht: die helpen me wel. Hij heeft me ernaartoe gereden, het was spekglad, en de bevalling is goed afgelopen.

Dat jochie dat toen geboren is, belde mij een tijd geleden op. Hij zei: "Ik woon hier vlakbij, mag ik nog een keer bij u langskomen?" Maar ik had hem sinds zijn geboorte niet meer gezien, ik vond dat niet zo nodig. Jong hoort bij jong en oud bij oud. Achteraf heb ik daar wel spijt van, ik had hem best even op bezoek kunnen laten komen.'

ziekenhuis en de eerstelijn als het ware met elkaar verweven raken, dat het ziekenhuis en de wijkziekenboeg samenwerken. Het probleem daarbij is natuurlijk de financiering die uit een heleboel verschillende potjes komt; dat zal dus moeilijk te realiseren zijn. De ontwikkelingen in Leidsche Rijn kunnen vervolgens als hefboom dienen voor de infrastructuur van de zorg in de rest van de stad.'

■

WIJKZIEKENBOEG AAN DE SINGEL?

Hanneke Hillmann is zeer te spreken over het idee van een wijkziekenboeg. 'Dat lijkt me prima, het is een soort combinatie van een gezondheidscentrum en de ziekenboeg die je nu al bij verpleeg- en verzorgingshuizen hebt. Er moet natuurlijk niet te veel kunnen, dan wek je te hoge verwachtingen. Je moet niet de indruk geven dat je een ziekenhuis bent. Zo zou je het ook niet moeten noemen. Want dan verlies je alleen maar kostbare tijd van mensen die meteen naar het AZU hadden moeten gaan. Het moet echt een soort tussenstation zijn, een transferpunt. In zo'n ziekenboeg zouden verpleegkundigen met eigen spreekuren een grote rol kunnen spelen. Als je kijkt naar de verschuiving van taken die momenteel plaatsvindt, dan kunnen verpleegkundigen, met op de achterhand een arts, heel veel overnemen. Lang niet alles hoeft altijd door een arts gedaan te worden. En als je van zo'n wijkziekenboeg echt iets voor de buurt wilt

Loopje kwijt

'Ik vond het vreselijk dat het oude AZU wegging. Ik was mijn loopje kwijt. Ik kwam er nog vaak, ook toen ik met mijn praktijk gestopt was. Ik ging naar alle voordrachten, over hartziektes of weet ik wat. Leuk hoor. Van het nieuwe AZU krijg ik ook nog altijd uitnodigingen. Ik heb er hier nog een liggen, voor een huisartsendag. Ik weet nog niet of ik daarnaartoe ga.

Op het oude AZU-terrein kon ik een woning kopen, maar ik dacht: de groeten met ze, ik wil daar helemaal niet wonen. In het hoofdgebouw wonen verschillende oud-patiënten van me. Een enkele keer loop ik wel eens bij ze binnen. Vanuit mijn huis zie je het singeltje, maar bij die mensen zie je alleen de toppen van de bomen. Ik heb hier zo'n prachtig uitzicht. Dat is de reden dat ik hier niet weg kan. Anders was ik hier allang weggeweest, want het is veel te groot voor me. Vier van die etages.'

Ik heb wel veel last van de drugsgebruikers hier op de singel. Ze hebben mijn tas al een keer gestolen en er is ook al een keer ingebroken. Mijn dochter zegt: "Het is je eigen schuld want je praat altijd met die mensen." Maar ik zeg: "Als er een hond naar me toekomt, aai ik die even, en als er een jochie naar me toekomt dan praat ik even met hem. Dat is gewoon menselijk."

De buurt hier is erg achteruitgegaan. Vroeger was ik de huisarts van het hele rijtje. Iedereen kende ik. Nu wonen hiernaast Turken en Marokkanen, en aan de andere kant Albanezen of zoiets. Daar heb ik allemaal geen contact mee. Vreselijk jammer. Zwervers hadden we toen nog niet, dat kenden we niet. Het was een heel andere wereld.

Gistermiddag liep ik even door het park aan de overkant van de singel. Ik moest nog een adres op een brief schrijven, dus ik ging daar even op een bankje zitten. Kwam er een jochie naast me zitten, zo'n drugsgebruikertje. Ik keek een beetje, want een paar maanden geleden hebben ze mijn tas gestolen. Toen zei hij: "Heb je drie rijksdaalders voor me?" Ik zei: "Waarom zou ik?" Hij zei: "Ik moet vannacht slapen maar ik mag niet in het slaaphuis maken, moet je ook het consultatiebureau erbij betrekken. Als je daar de kinderen ontvangt, komen de andere mensen vanzelf ook. Mijn inschatting is dat ouderen veel gebruik zullen maken van zo'n ziekenboeg.'

Kunnen we in de toekomst ook zo'n ziekenhuisje of wijkziekenboeg in de binnenstad verwachten, bijvoorbeeld aan de Catharijnesingel? Kliphuis: 'Nou, in de binnenstad wonen natuurlijk niet zoveel ouderen, maar in Overvecht wel. Daar moet echt iets komen als het ziekenhuis daar weggaat, dat gat moet meteen opgevuld worden met een wijkziekenboeg, of een groot gezondheidscentrum waaraan je een kleinschalige beddenvoorziening koppelt. Maar je moet zoiets echt clusteren met allerlei andere zorgvoorzieningen, en die zijn er rond de Catharijnesingel nu eenmaal niet.'
Hillmann: 'Ik zou er zeker eentje neerzetten aan de Catharijnesingel. Het NIZW weg en daar dan zo'n wijkziekenhuis. Grapje. Er is vast nog wel een plek daar aan het parkje. Die ouderen komen vanzelf wel. Trouwens, er wonen zo veel mensen alleen tegenwoordig en mantelzorg, dat is ook maar een beperkt begrip. We zijn al maximaal 'gemantelzorgd' en 'gevrijwilligd'. En studenten hebben er ook baat bij. Die willen niet meer met een gebroken been naar hun moeder. Het zou fantastisch zijn als er een plek was waar je in dat soort situaties een paar dagen heen zou kunnen. Het gaat er toch om hoe je mensen uit dure voorzieningen houdt, en hoe je ervoor kunt zorgen

komen.” “Waarom niet?”, vroeg ik. “Omdat ik bier gedronken heb”, zei hij. “Dan moet je geen bier drinken”, zei ik. Hij weer: “Maar ik lust zo graag een biertje.” Ik zeg: “Dat moet je niet doen, je moet ophouden met die alcohol, dat is de pest voor een mens.” Zelf rook ik wel, maar ik ben anti-alcohol. Hij bleef naast me zitten en toen vroeg hij: “Heb je echt geen geld?” “Nee”, zei ik. Ik neem nooit geld mee, omdat mijn tas daar al eens gestolen is. Ik heb hooguit wat kleingeld in mijn binnenzak. Ik zeg: “Vraag maar bij de kerk.” Nee, daar was ie al geweest, daar kreeg ie niets. Hij zegt: “Drie rijksdaalders is tegenwoordig voor mensen die zo rijk zijn al te veel. Drie dubbeltjes geven ze misschien nog.” Ik zeg: “Dat moet je helemaal niet doen, je moet gaan werken.” “Ja”, zegt ie, “hoe moet ik werk krijgen als ik niet kan slapen?” Ik zeg: “Je moet toch ergens slapen vannacht?” “Dan blijf ik hier vannacht maar op deze bank slapen”, zegt hij. Ik dacht: mijn hemel nog aan toe, vlak tegenover mijn huis, dat moet ik niet hebben. Ik dacht: ik sta maar op, die brief zal ik morgen wel posten. Dus ik zeg: “Ik ga naar huis, ik ga eten koken.” Zegt ie: “Waar woont u?” Ik durfde niet te zeggen dat ik aan de overkant woonde. Dus ik zei: “Ik woon aan de andere kant van de stad.” Vraagt hij: “Als u eten gekookt hebt, brengt u mij dan een maaltje?” Ik zeg: “Nee, want dan moet dat hele eind teruglopen.” Toen ben ik weggegaan. Voor de brug heb ik mijn jas uitgetrokken. Want ik had een lichte jas aan, en ik dacht: mijn trui herkent hij waarschijnlijk niet. Met een omweg ben ik toen naar huis gelopen.’

Annet Huizing

dat ze zo snel mogelijk weer thuis zijn. Vanuit zo'n oord kan dan ook bekeken worden wat er thuis geregeld of aangepast moet worden zodat iemand weer naar huis kan.'

ANNET HUIZING

EEN BUURTJE AAN DE SINGEL

'Een economische ramp voor de middenstand. Je kunt wel in een museum willen wonen, maar daar kun je toch niet van leven?', zo reageert singelbewoner en voormalig koopman Piet Serton op de plannen van de gemeente om de demping van de singel weer ongedaan te maken. Zijn vrouw Riekie voegt eraan toe: 'Natuurlijk vind ik het prachtig dat het water terugkomt, maar als ze nu toch geld over hebben, laten ze dan eerst de stad eens schoonmaken en ons fatsoenlijke straatverlichting geven zodat we 's avonds weer veilig over straat kunnen.' Nieuwkomer aan de singel Jan de Weerd heeft daar als stedenbouwkundige een andere kijk op: 'Ik vind het prachtig. Een deel van de betonnen vlaktes waar nu verkeer doorheen raast moet wijken voor het water en waar mogelijk groenstroken. De singel krijgt daarmee de allure van een stadsboulevard.'

Aan het einde van de Catharijnesingel, waar het water naar het oosten stroomt, staan veertien monumentale panden. Het rijtje behoort tot de oudste nog bestaande bebouwing aan dit nooit gedempte, groene stuk van de singel. In ieder geval geldt dat voor de huizen waar sinds jaar en dag de familie Visser woont en voor het pand van Piet en Riekie Serton. Terwijl in de loop der jaren overal aan de singel bouwputten verrezen, heeft dit blok alle stedelijke vernieuwingsplannen weten te overleven. Maar het had weinig gescheeld of de huizen waren begin jaren zestig tegen de vlakte gegaan. Om Utrecht op te stoten in de vaart der volkeren moest er een ringweg rond de binnenstad komen en dat betekende alle singels dempen en hele buurten onder de sloophamer. Verwarring en onzekerheid maakten zich meester van de singelbewoners toen ook hun rijtje in het geding kwam. De 87-jarige mevrouw Visser herinnert zich hoe de buurt in actie kwam: 'Er werden handtekeningen verzameld en er ging zelfs een brief naar de koningin. Mijn man werkte op de griffie dus die wist hoe je zoiets moest aanpakken. Of die brief geholpen heeft, weet ik niet. Wel dat minister Klompé het allemaal heeft tegengehouden.' Uiteindelijk werd slechts een deel van de singel gedempt. De singelbewoners konden blijven zitten en behielden hun uitzicht op het water. Nu, jaren later, noemt de gemeente bij monde van wethouder Jan van Zanen de demping een historische fout die zo snel mogelijk hersteld moet worden. Volgens een onderzoek van de gemeente is negentig procent van de Utrechtse bevolking het daarmee eens.

■

EEN STRAAT MET EEN VERLEDEN

Tot ver in de vorige eeuw maakte de Catharijnesingel deel uit van een landelijke omgeving met prachtige buitens, kwekerijen en bossen. Het was een stadsrand die zich fysiek nauwelijks iets van Utrecht leek aan te trekken. De komst van het ziekenhuis en belangrijker

nog de aanleg van het spoorwegennet maakten hier in de tweede helft van de vorige eeuw een eind aan. Langs de singel verrezen statige herenhuizen en monumentale bedrijfspanden. De woningen van de familie Visser dateren van voor die tijd. De 43-jarige Didi Visser: 'Mijn vader hield het op ongeveer 1700. Naar zijn zeggen moet het hier ooit een wasserij zijn geweest. Dat is niet ondenkbaar als je weet dat mensen vroeger hun was in de singel deden. Achter de huizen lag het bleekveld, vandaar dat het daar nu de Bleekstraat heet. Maar jammer genoeg heeft hij deze theorie nooit hard kunnen maken.'
De twee huizen met ouderwetse luiken zijn elkaars spiegelbeeld. In een ervan woont Didi Visser, haar moeder in dat ernaast. De huizen ademen een nostalgische sfeer uit: kamers en suite met restanten van een

alkoof, gangen met granieten vloeren, een souterrain met een kolenstortplaats en oude plavuizen, boven een doolhof van kamertjes en een steile trap die je naar de zolder brengt. De kamers aan de voorkant kijken uit op de singel: een schilderachtige compositie van water, groen en in de verte de Tolsteegbrug waarover de troepen van Napoleon in november 1813 hals over kop de stad en de naderende kozakken ontvluchtten. 'Een uitzicht met een prijskaartje', aldus mevrouw Visser. 'Toen je nog personele belasting had, kregen we van de gemeente een extra aanslag voor het mooie uitzicht.'

In 1932 kwamen de twee huizen aan de Catharijnesingel in het bezit van de familie Visser. Hoe vreemd het ook moge klinken, voor de Vissers was dat een zwarte bladzijde in de familiegeschiedenis. De grootvader van Didi was toen al jaren in een rusthuis opgenomen en dat in een tijd dat je zelf voor de kosten moest opdraaien. Daardoor kon het gezin Visser de touwtjes nauwelijks aan elkaar knopen. Didi Visser: 'Zoon Jan – een broer van mijn vader – was als jonge vent voor de Bataafse Petroleummaatschappij naar Sumatra gegaan om op de olievelden te werken. Hij zat op een boorterrein *in the middle of nowhere* toen hij plotseling verlammingsverschijnselen kreeg. Het was zo ernstig dat ze hem op een prauw naar de bewoonde wereld hebben gevaren. Maar niks mocht meer baten. Op zijn sterfbed konden ze hem nog net een document laten ondertekenen waarin stond dat hij alles naliet aan zijn moeder – mijn oma dus – , ook het geld dat de Petroleummaatschappij als een soort pensioen had ingehouden op zijn salaris. Daarmee heeft mijn oma toen deze huizen gekocht, maar door de verdrietige aanleiding heeft het altijd een nare bijsmaak gehouden.'

■

SUPER-MANTELZORGER

Ook de levens van andere bewoners zijn nauw vervlochten met de Catharijnesingel. De 77-jarige Piet en de 72-jarige Riekie Serton wonen er alweer zo'n veertig jaar, zij het op verschillende locaties. Hun oude huis draagt de intrigerende naam Vastenborch. Riekie: 'Die hebben we zelf verzonnen. Je had hier Sterrenborch, Maanenborch en Zonnenborch, allemaal bolwerken, burchten die vergaan zijn. In *Psalmen* staat "een vaste burcht is onze God", dus besloten wij ons huis Vastenborch te noemen. Want, al blijft er van het hele huis geen steen meer over, onze borcht blijft staan tot in de eeuwigheid.' Piet en Riekie kennen iedereen van het rijtje achteraan de singel. 'Je hoeft de deur niet plat te lopen, maar je moet elkaar wel kennen en er voor elkaar zijn als het nodig is', vindt Riekie. De buurt deelt hoogte- en dieptepunten. Verjaardagen worden samen gevierd en het langdurig ziekbed van vader Visser maakte de onderlinge betrokkenheid alleen maar hechter. Riekie: 'Om drie uur 's nachts ging de telefoon. Het waren de Vissers. Ik wist dat het niet goed ging met hun vader, met mijn jas al half aan zei ik dat ik eraan kwam. "Nee, nee haast je maar niet, vader is net overleden. We willen jullie er graag bij hebben." Ik heb nog nooit zo'n prachtige nacht meegemaakt. Vader Visser lag opgebaard terwijl iedereen om hem heen verder ging met het leven: de volwassenen, maar ook de kinderen. De dood versmolt met het leven. Bij de begrafenis zat de naaste familie op de eerste rij, de buurt er direct achter en daarna pas de rest. Op de kist lagen bloemen van de buurt met een lint waarop stond "Nestor à Dieu!"'

Toen de Sertons in de jaren zestig hippies naast zich kregen, die geen boe of bah zeiden, trok Riekie op een dag de stoute schoenen aan en schreef een briefje: "In deze tijd van vereenzaming vind ik het niet kunnen dat buren elkaar niet kennen. Daarom nodig ik jullie uit om morgenavond bij ons een borrel en een hapje te gebruiken. Het is van zes tot acht, dus de rest van de dag hebben jullie vrij en kunnen jullie doen en laten wat jullie willen." Riekies eenvrouwsactie was een succes: de nieuwe buren bleven tot in de kleine uurtjes.

Voor Riekie moet een buurt een menselijk karakter hebben. Waar nodig, schiet ze als een soort supermantelzorger te hulp. Toen een buurvrouw na een heupoperatie uit het ziekenhuis kwam, sloot ze een babyfoon aan om bij het minste of geringste onraad te kunnen ingrijpen. Riekie: 'Dat was me wat, maar Piet en de buurvrouw kunnen in ieder geval mooi stereo snurken.' Als de 89-jarige juffrouw Pasman van een paar huizen verderop haar alarm in werking stelt, is Riekie de eerste achterwacht. Ook mevrouw Visser heeft buurtverantwoordelijkheden naar zich toegetrokken. Ze betaalt voor iedereen uit het rijtje de glazenwasser en neemt de honneurs waar als er overdag ergens een klus geklaard moet worden. Een van de buren heeft zelfs bij de bel staan: 'Bgg probeer hiernaast'.

■

WILLEM DE TREUZELAAR

De veertien huizen aan het einde van de singel hebben altijd een vrij geïsoleerde gemeenschap gevormd, ingeklemd tussen het kruispunt met de Bleekstraat en het ziekenhuis. Didi Visser: 'Het ziekenhuis was een aparte leefgemeenschap die niks met de buurt had. Wel hartstikke handig, zo'n ziekenhuis in je straat. Als je iets had schoot je je jas aan en liep je het ziekenhuis binnen.' Echt laagdrempelig was het oude ziekenhuis toch ook niet', vindt Riekie Serton. 'Ik weet nog dat de zoon van de buurman om de hoek op een avond voor lijk op straat viel. Ik een ambulance gebeld en mee naar het ziekenhuis. De man is nog maar net afgevoerd voor onderzoek of een geïrriteerde co-assistent komt op me afstormen en snauwt: "Die vent is stomdronken. Wilt u ons daar voortaan nooit meer mee opzadelen!" Verontwaardigd heb ik toen geantwoord: "Of het nou een hond is of een mens die ik voor pampus op straat zie liggen, de volgende keer ziet u mij weer."'
Aan de achterzijde keken de singelbewoners vroeger uit op steegjes die doorliepen tot het spoor. Bij die straatjes begon een andere wereld. Aan de singel woonde de gegoede middenklasse: een koopman, de griffier en een dokter die zijn beroep niet meer mocht

uitoefenen omdat hij een 14-jarig meisje 'geholpen' had.
De piepkleine huisjes achter, die in de tweede helft van de vorige eeuw als modelarbeiderswoningen gebouwd waren, herbergden grote arbeidersgezinnen. Piet Serton weet nog goed dat zijn grootouders een huis aan de singel hadden met inbegrip van drie arbeidershuisjes in het steegje erachter. 'Als er 's winters kolen werden gebracht, mochten die niet door de voordeur aan de singel, want dat gaf een enorme troep in de marmeren gang. Daarom bracht de kolenboer ze achterom via een van die huisjes. Als tegenprestatie hoefde de bewoner dan een week geen huur te betalen.'
In feite waren de singelbewoners vooral toeschouwers van wat zich in hun achtertuin afspeelde. Het verschil in maatschappelijke status liet zich nooit werkelijk overbruggen. Zo speelde Didi Visser als kind niet met leeftijdsgenootjes uit 'de straatjes'. 'Er was geen vijandigheid tussen de twee buurten, maar het klikte ook niet echt. 'Ik voelde me er niet op mijn gemak, dus trok ik eigenlijk alleen op met de kinderen van ons rijtje. Als kind stond ik wel altijd met mijn neus vooraan als ze hun jaarlijkse buurtfeest vierden. Prachtig vond ik die oude Wilhelminafeesten. Overal hing het vol met oranje vlaggen. Verklede kinderen en muzikanten trokken in optocht door de straten. Ze hadden een soort concurrentiestrijd met het arbeidersbuurtje verderop. Om elkaar te pesten liepen ze steevast met de hele stoet door elkaars straten.'
Slechts één keer zouden de twee buurtjes samen een enorm volksfeest aanrichten. De oude mevrouw Vis-

ser glimlacht bij de herinnering: 'Toen prinses Beatrix in het AZU lag om te bevallen van Willem Alexander was iedereen gespitst op het grote moment. Na lang wachten werd de prins eindelijk geboren. Willem de Treuzelaar noemden wij hem, want hij kwam veel te laat. Bij de geboorte ontstond er spontaan een groot buurtfeest. Iedereen deed mee, alles integreerde. Het werd zo'n dolle boel dat ze op een gegeven moment van het AZU kwamen vragen of het zachter kon omdat Beatrix moest rusten.'

OPRUKKENDE OVERLAST

Het vredige karakter van de Catharijnesingel onderging de laatste decennia een drastische metamorfose. Criminaliteit noopte de bewoners de loper op de voordeur in te ruilen voor een degelijk Lips-slot. Was de Catharijnesingel eind jaren vijftig nog het domein van spelende kinderen en vormde alleen de postauto van zeven uur een reële bedreiging, in de jaren die volgden nam het verkeer steeds nadrukkelijker bezit van de straat. Delen van de stoep moesten wijken voor de heilige koe. De singelbewoners maakten op hardhandige wijze kennis met verkeersoverlast. Didi Visser: 'Die bocht hier is heel onhandig. Toen de vluchtheuvel er nog niet was, vlogen er regelmatig auto's tegen de gevels. Op een nacht is er zelfs een auto bij ons naarbinnen gereden. Hartstikke bezopen was die vent. Hoe hij het gedaan heeft, ik weet het niet maar ook drie andere huizen hadden fikse schade.' Protesten van de singelbewoners konden niet verhinderen dat de verkeersdrukte op de Catharijnesingel bleef toenemen. Gezinnen met kinderen verlieten een voor een het rijtje en trokken de stad uit of naar een van de groene buitenwijken.

En toen ging begin jaren tachtig de buurt op de schop. Bijna vijftien jaar lang veranderde dit deel van de singel in een bouwput. Eerst verdwenen de steegjes. De gemeente vond het niet meer de moeite waard om de negentiende eeuwse arbeidershuisjes te renoveren. Er moest nieuwbouw komen voor de oude bewoners, bouwen voor de buurt heette dat. Een enorm blok nieuwbouw maakte korte metten met het oude stukje, maar het concept bouwen voor de buurt schoot zijn doel voorbij. De meeste oorspronkelijke bewoners kwamen niet terug vanwege de hoge huren. De nieuwkomers vormden een mix van allochtonen, autochtonen en een enkele student, die veelal anoniem naast elkaar leefden.
Daarmee was het nog niet gedaan met het slopen, heien en de enorme stofwolken. Eind jaren tachtig werd het ziekenhuis verplaatst naar een locatie buiten de stad en kon de sloop op het AZU-terrein beginnen. Stedenbouwkundige Jan de Weerd die zelf een van de appartementen in aanbouw zou betrekken, zag de nieuwe stadswijk verrijzen: 'Hooch Boulandt kun je zien als een overgangsperiode in de volkshuisvesting. Tot de jaren zeventig werd die gekenmerkt door de sociaal-democratische planning. De gemeente kocht grond aan, maakte er plannen voor, sloopte de boel en bepaalde wat voor woningen er exact zouden

komen. Met de komst van VINEX-locaties in de jaren negentig werd de markt de ontwikkelaar. Om Hooch Boulandt te realiseren, vormde de gemeente voor het eerst een ontwikkelingsmaatschappij met een projectontwikkelaar, maar hield zelf nog wel een stevige vinger in de pap. Dat zie je aan Hooch Boulandt: alle soorten mensen moesten er kunnen wonen. Zo vind je aan de singel sociale huurwoningen in het voormalige Zusterhuis, vrije sectorappartementen in het oude ziekenhuis en de nieuwbouw ernaast, premiekoopwoningen om de hoek. Het heeft de makelaars indertijd nog moeite gekost om de luxe appartementen naast het Zusterhuis verkocht te krijgen. Potentiële kopers haakten af omdat ze niet naast sociale woningbouw wilden wonen.'

Geheel tegen de traditie van de grote steden in, werd

slechts twintig procent van het oude AZU-terrein bestemd voor sociale woningbouw. Wethouder Zwart van Volkshuisvesting wilde de hogere inkomensgroepen voor de stad behouden. Het terrein kreeg een sjieke naam: Hooch Boulandt. Er kwamen veel dure appartementen met prachtige binnentuinen en langs het spoor een geluidswal van kantoren. Het grootste deel van de AZU-gebouwen werd gesloopt. Volgens de stedenbouwkundigen miste het gebied 'stedenbouwkundige helderheid' en was het terrein 'totaal naar binnen gekeerd'. Drie gebouwen bleven overeind: het monumentale Hoofdgebouw, beter bekend als het oude ziekenhuis, het Zusterhuis en het Neurologiegebouw op het achterterrein. De wirwar van gebouwen, aanbouwsels en ondoorzichtige straatjes verdween. Het medisch dorp aan de singel werd een wijk die bij de stad hoorde. In het jargon van stedenbouwkundigen: 'Via dwarsstraten zijn er mooie visuele relaties gelegd met de oude stad'. Om de relatie met de stad nog hechter te maken werd speciaal voor de bewoners van Hooch Boulandt een moderne voetgangersbrug over de singel gemaakt: de 'Yuppenbrug' in de volksmond.

■

IEDER VOOR ZICH

Toen in 1997 de stofwolken eindelijk waren opgetrokken, hadden de oude singelbewoners een geheel nieuwe stadswijk naast zich gekregen: 725 appartementen en 33.000 vierkante meter kantoorruimte. De buurt is erop vooruitgegaan, daarover is iedereen het eens, maar in sociaal opzicht is er niet veel veranderd.

Alleen met de bewoners van het nieuwe complex direct naast het rijtje oude herenhuizen zijn dankzij Piet en Riekie Serton contacten ontstaan. De nieuwe singelbewoners die in het vroegere ziekenhuis wonen, blijven meestal onzichtbaar. In de majestueuze tuin met yin- en yangperkjes vertonen zich alleen de hoveniers die op gezette tijden orde op zaken stellen. En als een groepje kinderen zich door de spijlen van het gietijzeren hek wurmt om de tuin als speelterrein te annexeren, zwaait er een raam open want daarvoor is een siertuin niet bedoeld. Riekie Serton: 'Hooch Boulandt maakt op mij een heel geïsoleerde indruk. Er is een sfeer van ieder voor zich en God voor ons allen. Als je er 's avonds rond een uur of half acht komt, zit alles al hartstikke op slot. Je hoort de sleutels omdraaien voordat de deur opengaat. Ik vind dat heel eng. Ik weet niet waarom, maar op mij maakt het een onmenselijke indruk, onvriendelijk tegen de buitenwereld en tegen elkaar.'

In Hooch Boulandt wonen vooral jonge, werkende mensen die alleen of met een partner leven. Meer dan tachtig procent van de huishoudens is tweeverdiener met een bovenmodaal inkomen, blijkt uit een bewonersonderzoek van Stogo Onderzoek & Advies. De nieuwkomers werken veel, zijn weinig thuis en zijn vooral gericht op de voorzieningen in de binnenstad. Ze vinden Hooch Boulandt een prettige wijk om in te wonen: veilig, goed bereikbaar en een architectonische eenheid met een eigen gezicht. Maar, moeten de onderzoekers ook vaststellen: 'Veel contact met medebewoners lijkt men niet te hebben. Blijkbaar bestaat hieraan nauwelijks behoefte, aangezien dit niet als storend wordt ervaren.' Een van de respondenten was Jan de Weerd die zijn Amsterdamse woning voor een nieuw appartement aan de singel verruilde: 'Het is een manier van stedelijk wonen die me bevalt. Je buurt is eigenlijk de singel zelf en je uitzicht is het water. Het is heel individualistisch en een prachtige plek. Net alsof je in het Vondelpark woont, zeg ik wel eens. Via de buren ken ik nu ook wat bewoners van het oude rijtje, maar dat is puur toeval. Die individualisering zet nu eenmaal door, daar kun je weinig aan doen. Ik zie wel een nieuwe trend om bij het bouwen delen van gronden die eigenlijk openbaar zouden moeten zijn, uitgeefbaar te maken. In Leidsche Rijn wil de gemeente bijvoorbeeld een vereniging van eigenaren verantwoordelijk maken voor de straat voor de huizen. Door ze aansprakelijk te maken voor het onderhoud hoopt de gemeente op een grotere saamhorigheid en meer betrokkenheid van de bewoners bij de openbare ruimte in hun buurt. Misschien zou je met delen van de singel iets vergelijkbaars kunnen doen.'

JOANKA PRAKKEN

NAWOORD

Radio Catharijne interviewt
stedenbouwkundig visionair Fados Eusebios

'Een welgemeend goedemorgen dames en heren vanuit Radio Catharijne. Het is vandaag 10 mei 2010 en een bijzondere dag voor Utrecht. Vandaag wordt de Catharijnesingel officieel geopend. Vandaag is ook de beroemde Portugese stedenbouwkundige Fados Eusebios weer in ons midden. Fados Eusebios is inmiddels een bekende verschijning in onze stad geworden. Aan het eind van het vorige millennium veroorzaakte hij grote onrust in de Domstad. En de geschiedenis herhaalt zich. Gisteren heeft señor Fados Eusebios opnieuw iedereen ongelukkig gemaakt met zijn plannen om een containeroverslagbedrijf in de singel te vestigen. Speciaal de *yuppies* en *dinkies* van Hooch Boulandt, die hem hadden ingehuurd, zijn met stomheid geslagen. Het bedrijf is recht voor hun neus gepland.

'Señor Eusebios, kunt u aan de luisteraars uitleggen waarom de bewoners van Hooch Boulandt u ingeschakeld hebben?'
'De openbaarheid verkeert in een crisis, zeiden ze tien jaar geleden. Geen sociale controle, massaal achter de deur-terugtrek-gedrag, heb ik soms wat van u aan? Et cetera. En wat hebben ze gedaan? Van Hoog Catharijne

een neo-retrocomplex gemaakt. Met 24 uur *total quality*-beheer door publiek-private beveiligingsdiensten en honderden videocamera's. Het Moreelse park is nu een rosarium met een afsluitbaar hek. Het gevolg? Alle zwervers, verslaafden en tippelaarsters belanden als vanzelf in de siertuinen van Hooch Boulandt!'

'En toen zijn er begrijp ik, mijnheer Eusebios, grote fouten gemaakt?'
'Inderdaad, in plaats van die lui er meteen hardhandig uit te knuppelen, heeft de Vereniging van Eigenaren van Hooch Boulandt in paniek besloten een cursus bemoeizorg te gaan volgen. De gevolgen waren funest. Binnen de kortste keren stond daar het grootste daklozen-shelter van heel Nederland. De aanzuigende werking was enorm. Dat komt ervan als je de stedelijke schizofrenie wil opheffen!'

'Maar dat is toch te prijzen, señor Eusebios, dat ze zich het lot aantrokken van de daklozen in hun tuin?'
'Wat ze deden kan echt niet meer. Niemand gaat in 2010 nog de Barmhartige Samaritaan spelen. Problemen zijn er om structureel te worden aangepakt. Uw land heeft te maken met transnationale gijzelaarsconfiguraties. Dak- en thuisloosheid is iets voor de Europese Unie, niet voor individuele burgers. Vanuit Hooch Boulandt worden kapitale bedragen overgemaakt op de rekeningen van Artsen Zonder Grenzen, Amnesty International en Greenpeace. Ze zijn daar allemaal Foster Parent. Er is daar sprake van een enorm mondiaal verantwoordelijkheidsgevoel.'

'Ze willen dus de daklozen uit hun tuin. En toen mijnheer Eusebios?'

'In hun wanhoop grepen ze terug op mijn plan voor een middeleeuws *theme city* park. Mij is gevraagd de levensvatbaarheid ervan nogmaals te doordenken. Ik ben tot de conclusie gekomen dat dat niet kan. We leven in 2010, niet in 1998.'

'En toen kwam u met uw plan om een containeroverslagbedrijf in de singel te beginnen. Niemand ziet dat zitten, señor Eusebios. De gemeente vindt het niks, de huiseigenaren van Hooch Boulandt zijn razend, en de drugsgebruikers, alcoholisten, bedelaars en Utrecht-hooligans die de vorige keer zo warm liepen voor uw plan, hebben bezwaar aangetekend tegen de weinig democratische gang van zaken bij de totstandkoming van het definitieve concept.'

'Dat begrijp ik, ik wilde ze de singel laten uitbaggeren en verbreden, zodat de singel aangesloten kan worden op de grote binnenvaartroutes richting het Europese achterland.'

'Mijnheer Eusebios, waarom een containeroverslagbedrijf?'

'Ik wilde om precies te zijn een ouderwets containeroverslagbedrijf. Toen spierkracht nog niet had plaatsgemaakt voor gecomputeriseerde kranen. Stelt u zich de bedrijvigheid op de singel eens voor! Een magistraal stuk industrieel erfgoed komt weer tot leven. En het grootste daklozenshelter van Europa, Hooch Boulandt, levert de arbeidskrachten. Vroeger, in het vorige millennium, zouden we hebben gezegd: dat is maatschappelijk ondernemerschap, dat is lokaal economische structuurversterking, dat is het creëren van win-winsituaties.'

'Maar Utrecht bezit toch helemaal geen maritieme geschiedenis? Uw plan is misschien meer op zijn plaats in een havenstad als Rotterdam.'
'Fuck the context!'

'Natuurlijk señor Fados Eusebios, we waren het even vergeten. Het was ons een grote eer u hier vanochtend in de studio te hebben. Laatste vraag: wat is uw volgende project? Wordt het dit keer een grensoverschrijdend bedrijvenpark, een woonzorgcomplex in de glastuinbouw of een stiltecentrum in een transferium?'
'Niks van dat al. Ik ga naar mijn geboortedorp in Portugal, de oude boerenschuur is weer aan een opknapbeurt toe.'

'???' Dames en heren, nogmaals een welgemeend goedemorgen vanuit Radio Catharijne. We zeggen *adios* tegen Fados en ik eindig met u te wijzen op de lezing over Etruskische kunst die vanavond door daklozen in het shelter Hooch Boulandt zal worden gegeven. Voor bewoners van de Catharijnesingel is de toegang gratis.'

RADBOUD ENGBERSEN

NEDERLANDS INSTITUUT VOOR ZORG EN WELZIJN / NIZW

Het Nederlands Instituut voor Zorg en Welzijn / NIZW is het onafhankelijk instituut dat instellingen en beroepskrachten in de sector zorg en welzijn helpt op maatschappelijke ontwikkelingen in te spelen en de kwaliteit van het werk te waarborgen. In nauwe samenwerking met andere instellingen ontwikkelt het NIZW methoden waarmee het werkveld adequaat kan reageren op nieuwe vragen van cliënten. Dit resulteert in boeken, nieuwsbrieven, congressen, leertrajecten, databanken en video's. Daarnaast stelt het instituut zich ten doel de sector als geheel te versterken. Hiermee houden vooral het Centrum voor Beroeps- en Opleidingsvraagstukken en het Informatiecentrum Zorg en Welzijn zich bezig. Het International Centre bemiddelt en ondersteunt bij internationale samenwerking.

De activiteiten van het NIZW richten zich op verschillende terreinen zoals kinderopvang, jeugdzorg, maatschappelijk werk, ouderendienstverlening, sociaal-cultureel werk, maatschappelijke opvang, verzorgings- en verpleeghuizen, thuiszorg en hulpverlening aan mensen met een lichamelijke of verstandelijke handicap.
In de sector zorg en welzijn werken meer dan 400.000 beroepskrachten en vele vrijwilligers. Voor hen zijn de producten van het NIZW bedoeld. In toenemende mate wendt het NIZW zich met zijn informatie ook rechtstreeks tot de daadwerkelijke consumenten van voorzieningen in de sector.